YOUTH 经|典|译|丛 12
人猿泰山

失落的帝国
Tarzan and the Lost Empire

[美]埃德加·伯勒斯 / 著
毕可生 孙亚英 / 译

中国青年出版社

(京)新登字 083 号

图书在版编目(CIP)数据

失落的帝国/(美)伯勒斯(Burroughs, E.R.)著;毕可生,孙亚英译.—北京:中国青年出版社,2013.7
(人猿泰山系列)
书名原文:Tarzan and the Lost Empire
ISBN 978-7-5153-1814-1

Ⅰ.①失… Ⅱ.①伯…②毕…③孙… Ⅲ.①儿童文学—长篇小说—美国—现代 Ⅳ.①I712.84

中国版本图书馆 CIP 数据核字(2013)第 172846 号

责任编辑:杜惠玲 谢肇文
封面设计:瞿中华

出版发行:中国青年出版社
社　　址:北京东四十二条 21 号
邮　　编:100708
网　　址:www.cyp.com.cn
编辑电话:010-57350504
门市电话:010-57350370
印　　刷:三河市君旺印务有限公司
经　　销:新华书店

开　　本:620×920 1/16
印　　张:16.25
插　　页:1
字　　数:170 千字
版　　次:2015 年 5 月北京第 1 版
印　　次:2015 年 5 月河北第 1 次印刷
定　　价:22.00 元

本图书如有印装质量问题,请凭购书发票与质检部联系调换
联系电话:010-57350337

猿语(泰山的母语)——中文对照表

动　物

巴拉——鹿

勃勒冈尼——大猩猩

布吐——犀牛

旦格——鬣狗

杜罗——河马

戈格——水牛

豪尔塔——野猪

吉姆拉——鳄鱼

库图——老鹰

努玛——雄狮

派可——斑马

盘巴——老鼠

沙保——母狮

吞特——大象

希斯塔——蛇

希塔——花斑豹

(　　　　)——(　　　　)
(　　　　)——(　　　　)

自　然

戈罗——月亮

库都——太阳

(　　　　)——(　　　　)
(　　　　)——(　　　　)

人

戈曼更——黑人

塔曼戈——白人

(　　　　)——(　　　　)
(　　　　)——(　　　　)

你还能找出多少来呢?

目 录

一　博士的托付 …………………………………… 001
二　埃里克的冒险 ………………………………… 007
三　泰山遇险 ……………………………………… 013
四　深入谷底 ……………………………………… 018
五　巴格哥人 ……………………………………… 027
六　帝国的遗民 …………………………………… 035
七　威伦瓦兹山的妖魔 …………………………… 044
八　法沃尼乌斯叔叔 ……………………………… 051
九　逃出皇宫 ……………………………………… 063
十　山谷里的罗马史 ……………………………… 077
十一　迪翁家的友谊 ……………………………… 089
十二　出卖 ………………………………………… 095
十三　锒铛入狱 …………………………………… 102
十四　初试身手 …………………………………… 117
十五　再赴杀场 …………………………………… 127
十六　喋血黄沙 …………………………………… 139
十七　大猿倒戈 …………………………………… 147

十八	狄莉克塔的婚礼	157
十九	泰山的反攻	164
二十	瓦齐里人	174
二十一	殒命角斗场	180
二十二	肮脏的阴谋	190
二十三	兵不血刃	202

家贫也读书（代后记） ………………… 孙亚英 209

一
博士的托付

小猴子尼可玛在主人褐色的肩膀上跳来转去。它不安地叽叽叫着，凝神看着泰山的脸，之后突然窜进了丛林里。

这时瓦齐里人的队长伟万里对泰山说："有什么东西正向近处走过来，大宛那！尼可玛听见了！"

"泰山也听见了！"泰山回答说。

"大宛那的耳朵确实像羚羊一样灵敏。"伟万里说。

"幸亏我的卡拉猿妈妈，从小就教给我充分利用人类的一切感官。"泰山笑了笑，"再说了，要是他们不来，我们今天也不会在这里扎营。"

"来的是什么东西？"伟万里问道。

"是一队人。"泰山回答说。

"他们是不友好的吧？！"这个非洲人提醒说，"要不要我去告诉武士们注意警戒？"

泰山瞥了一眼不远处小营地，那里有二十多个他的瓦齐里战士，正在忙于准备晚饭。而且按照规矩他们的武器都放在手边。

"不！"他说，"我相信无此必要。因为这些走近的人并不像是偷偷摸摸走近的敌人,而且他们的人数不足为虑。"

但是尼可玛天生悲观,当来人越来越近,它也越来越焦躁不安,一会儿跳上泰山的肩膀,一会儿又从肩膀跳到地上,一会儿又抓住泰山的手想把他拉走,没一刻安生。

"快走,走!"小猴子用猿语叫道,"陌生的戈曼更(猿语,黑人)就要来了。他们会要小猴子的命。"

"别害怕,尼可玛。"泰山说,"泰山和伟万里不会让陌生人伤害你。"

"我闻到一股陌生人的气味。他们都带雷棒,他们随便就杀死尼可玛,他们用雷棒杀一切生命。尼可玛不喜欢他们,尼可玛害怕。"

对于尼可玛或者是别的丛林居民,泰山不再是白人,他属于丛林。他是它们中间的一个,他是一个大猿,它们就是这样把他归类的。

陌生人走近,营地的人现在已经可以清晰地听到了。瓦齐里武士们都开始走近他们的队长和泰山。但是看到他们都不在意的样子,于是又都回到他们原来的工作上去。不多一会儿他们就又都平静地忙起他们的晚餐来。

一个高大的黑人武士是这一队来人中头一个出现的。当他看到瓦齐里人时,他站住了。一小会儿,一个长着胡子的白人也站到他的身旁。

这会儿那个白人正打量着营地,然后他走上前来作出表示和平友好的手势。与此同时,丛林里又走出十来个武士,大部分只是挑夫。他们一共只有三四支来复枪。

泰山和瓦齐里人立刻明白了,这是一小队不会对他们造成任何伤害的人。就是尼可玛也觉得安全了,甚至还跳回了主人的肩上,以表示出它对来人的不在意。

"啊!冯·哈本博士!"有胡子的白人走近时,泰山不由得叫道,"我几乎没认出是你。"

"感谢上帝对我们的仁慈,人猿泰山!"冯·哈本说着向泰山伸出了他的手,"我是专程找你来的。想不到我比我原来的预期早了两天,在这里就见到了您。"

"我们在追猎一头'偷牛贼',"泰山解释说,"它窜进我们的牛栏,已经有好几个晚上了,杀死了几头我们最好的牛。但是它很狡猾,我想这大概是一头老狮子。不然怎么能这么长时间都逃过泰山的网罗。"

"可是什么风把您吹到泰山的领地上来,博士?"泰山继续说道,"我希望这只是一次友好的访问,您别遇到什么麻烦。"

"我也愿意这只是一次友好的访问。"冯·哈本说,"但事实上,我确实是遇到了麻烦,很大的麻烦。"

"我希望不是阿拉伯人到你的领地上来捉黑人当奴隶或偷象牙吧?"

"不!都不是。是一件更重要的私事,是关于我儿子埃里克的。您没有见过他。"

"是的,"泰山说,"但是您现在恐怕是又累又饿了吧?就让你的人在这扎营吧!我们的晚餐也好了。我们边吃边谈吧,看泰山究竟能帮上什么忙。"

说罢,瓦齐里人按泰山的命令开始帮哈本的人扎营,博士和泰山也盘腿坐在地上,泰山看出他的客人满脑子都是烦心事,所以不等吃完,就催促博士继续他的故事。

"我在开始讲明来意之前,先要说两句不算是题外话的说明。"冯·哈本开始道,"埃里克是我的独子。四年以前,他19岁时,出色地完成了他的大学课程,获得了学位。从此他花费了大量的时间到欧洲的多个大学游学。在那些地方他开始学习考古和一些现在已不使用的古老语言。他课外的一个爱好是登山,以后的几个暑假他几乎登遍了阿尔卑斯山脉所有重要的高峰。

"几个月之前他按例来看我,忽然对研究非洲这一带的班图语方言发生了兴趣。

"当他在当地土人中进行调查时,他听说了威伦瓦兹山那个失落的部族的古老传说。对于这个传说我们都很熟悉了,但他却对此大感兴趣。他相信这个传说一定是有事实根据的。他相信如果他追寻下去,一定会找到《圣经》里那个失落部族的后代。"

泰山听了以后说:"我也知道这个传说,它被土人传得活灵活现。我曾想亲自去调查一下,但是一直没有机会接近威伦瓦兹山。"

"我必须说明,"博士听了以后说,"我也多次有同样的强烈愿望,我曾两次和威伦瓦兹山脚下的巴格哥人谈过。在这两次机会中,土著人们都告诉我在大山的深处,确实居住着一个白人的部族。这两次土人们都告诉我,他们还曾和那些人进行过和平的商业贸易,有时也发生过冲突。"

"当埃里克提出要组织一次进入威伦瓦兹山的探险时,我甚至鼓励他前往。他对班图人的丰富知识足够用了,他在登山方面也有许多经验。

"我认为他是一个最理想人选,所以我在多方面对他的探险都给以最大的支持。我的唯一的遗憾是我没能跟他一起去,不过当时我也确有分不开身的理由。

"他并没有走很久,但是最近他的几个远征队的队员据报告说已经回到村里来了。我想找他们了解情况,他们却躲着我,而谣言却传出来,谣传都说那里住着嗜血的精灵,使我相信我儿子的处境大概很不妙。我决定组织一支营救队,但在我的地区只能找到这么几个人敢去威伦瓦兹山。

"我不得不到别的地方去寻求帮助。这样我自然就把我的困惑转向丛林之王泰山。现在你完全明白我为什么到你这里来了吧?"

博士说完之后,泰山慷慨地答应说:"我愿意帮助你,博士!"

"好!"冯·哈本叫道,"我知道你会的!我判断你这里大约有二十人,我有十四人。我的人可以当脚夫,而你的人大家都知道是非洲最好的武士。这样我们就可以组成一支救援队了。尽管人数不多,但在你的指导下,我相信没有哪个地方是我们不敢去的。"

"不,博士!"泰山听了博士的话摇着头说,"我要一个人去,这是我经常的做法。当我一个人的时候,在丛林里我会走得更快,丛林对我几乎没有什么秘密,会比和别人在一起得到更多的信息。这是因为丛林里的动物们都把我当成自己人,不会见了我就跑。如果我和你们在一起,那情况就不一样了。"

"你更了解丛林里的情况。"冯·哈本说道,"我愿意和你一起,这毕竟是我儿子的事,但是如果你坚持一个人,那我也只能听命于你。"

"回到你的岗位上去,在那里等待我的好消息吧!"

"那么,你是明天早上再走吗?"冯·哈本问道。

"不,我现在就走。"泰山回答说。

"但是天就要黑了!"冯·哈本反对道。

"今天晚上正好是满月,白天最热的时候,我会找时间休息的。"然后他转身对伟万里说,"回家去!让瓦齐里武士们都作好准备,我会在必要的时候召唤你们的。"

"是的!宛那。"伟万里答应道,"那么我们需要多长时间才向威伦瓦兹山出发找您呢?"

"我会带尼可玛和我一起,如果我需要你们,我会派他回来,它会给你们带路。"

"是的!宛那。"伟万里回答说,"瓦齐里所有战士的武器会昼夜放在手边。他们的装战争文身用的涂料水壶也会时刻准备好的[①]。"

泰山背上他的弓和箭袋。左肩斜向右挎上一盘草绳,后腰插着匕首和螺号,拿起他的短矛,迎风呼吸了一下。他站在那里抬起了头,营地篝火的光正照耀在他褐色油亮的皮肤上。

---

① 非洲黑人战前都要文身,以起到威慑敌人的作用

二
埃里克的冒险

埃里克·冯·哈本从他的帐篷走下威伦瓦兹山,去查看一座被抛弃的营地。

今天早上,他刚一醒来,周围悄无声息,反常的平静引起他一种极其不祥的感觉。这种不祥感因为他多次呼叫贴身侍从葛布拉而没有应答,更为加深了。

一周以来,随着探险队一天天接近可怖的威伦瓦兹山周围地区,队里的人也开始三三两两地逃亡。他们前晚上在山坡扎营时,队里的人已经只剩下可怜的几个。现在甚至连这有限的几个人,经过对夜晚无名的恐惧和迷信,也逃得踪影全无了。此时恐惧已取代了忠诚,在这可怕的曲折狰狞的山峰面前,只好把他们的主人独自丢给嗜血的魔鬼了。

对营地匆匆一看就知道,这些人几乎把他们的主人剥了个精光。他们带走了所有的给养,背枪的人带走了来复枪和火药。只有一支鲁格尔连发手枪和一条子弹带,因为是留在埃里克自己的帐篷里,算是保存下来了。

埃里克对这些土著人是有足够了解的。他们的精神是建立在迷信基础上的。当他们一开始知道离目的地还远时,就勇气倍增。而离威伦瓦兹山越近,他们的勇气就越少,恐惧却多起来,以致最后只好一逃了之。

他们弄走了他的一切,在他们看来,埃里克已经是没有什么希望了。与其留给他还不如带走以供回程之用。按照这种推理,他们这种行为,也算不得背叛。只不过是一种世俗的考虑而已。

埃里克站了好一会儿,看着山下的丛林,他想着在那里也许正有他的人,急忙忙地向他们的家乡赶路。他也许能赶得上他们,但如果赶不上,那还不如留在这里更好。

他看见了前面崎岖不平的高山。他走了很多路才到了这里,他要寻找的部族,也许就在这锯齿状天边的后面,他绝不愿就此失败。一天或者一周,在这高低起伏的山间,也许就可能发现传说中那最后部族的秘密。即使寻不到那最后的部落,也可以找到人类古代的遗存或者是埋藏的坟茔。

这个年轻人很快就决定下来,他转回到帐篷,找到一个背袋,装了些必需品,在身上捆绑好子弹带和连发手枪,还有一把猎刀,然后又从一棵矮树上削下一条树枝做成一支登山杖。

一条山上的小溪,给他提供了清凉的净水,解了他的干渴。他一面走一面把手枪上膛,希望能猎获到什么小动物,以填饱辘辘的饥肠。说来也巧,一只兔子窜了出来,刚好被他一枪击中。埃里克不由得额手庆幸,自己过去花在练习轻武器上的工夫没有白费。

他就地点起一堆火来,把兔子剥了皮烤熟了,做了一道美味的早餐。他不是一个遇到逆境就灰心丧气的人,正好相反,逆境增加了他克服困难的勇气。而且,他以为不必太急切地赶路,以免消耗过多的体力,因为按他的估计前面还会有许多艰难。

这一天,他一路来都在攀登,不过虽然有时是绕远,但他宁肯选择安全的路。整天他好像都在复习学过的登山知识,而且尽量多休息几次,不让自己太累。夜晚终于降临。此时,他已达到下面看来曾是最高处的顶峰了。前面还有什么?他猜不透。但是经验告诉他前面也还会有险峻的高山。

他从山下最后的营地里,背上来一条毛毯。现在他就把它展开来,铺在地上。从下面远处的丛林里,正传来豺狼的狂吠和狮子的吼叫,但这一切都因为遥远而淡漠起来。埃里克也因为疲乏很快就进入了梦乡。

第二天快天亮时,他被一阵豹子的叫声惊醒,不是从下面的丛林里,而是从附近的山坡上。他知道这个野兽在晚上对他是一种威胁,如果他的来复枪不丢他会觉得更安全。

他并不害怕,因为归根到底这头豹子并不一定是冲他来的。为了保护自己,他将前一晚就搜集到的一些枯枝,点起了一堆篝火,他感到火光的温暖,特别是在黎明时分。

他一度听到一头野兽在篝火照不到的黑暗中走近的声音。但是他并没有看到黑暗中闪亮的眼睛,吼叫也没有再继续。他又睡着了。等到天亮之后这里可能只剩下一堆灰烬。

寒冷又没有早饭,埃里克还是远离了昨夜那座只有一条毛毯的营地。他的眼睛受饥饿肚子的支配,一直都在搜寻着可以作为食物的东西。这一地带对于一个惯于登山的人几乎没有什么障碍可言。他载饥载渴地向前赶路。因为他又看到了一座座原来藏在山峦背后的山峰。这就像是航海者奔向灯塔一样,在下一个地平线上又会出现新的光亮。

当埃里克再次站在一座山峰的顶端时,在他眼前展现出一片绵延起伏无尽的平原,偶尔点缀着几棵被风吹得东倒西歪的矮树。

他为眼前这一片平原而兴奋不已。他发现现在所看到的,和他过去许多天看到的完全不同。这里有峡谷和溪流,以及脚下无尽的未开垦的、人迹罕至的处女地。

他热切地期望去探索这一大片平原,甚至忘记了自己的饥肠和孤独。远山退得不知去向,眼前他看到了一片好像内海似的荒原。模糊的海岸却没有水,也没有能引起他遐想的汪洋或者水天相接的景象。但就在这时,他突然不得不停下来,平展的荒原忽然在他面前戛然而止,脚下展现出一道深深的峡谷。这真像世界闻名的北美科罗拉多大峡谷。

但是这里明显不同。这里那些样子可怕的岩壁充满水蚀的痕迹,有许多塔状尖石从下到上竖立着,紧贴着峡谷花岗岩的石壁。有的石柱支撑着峡谷平展的地面,活像一张张大的台球桌。这景象使他陷入一种钦羡、惊讶的迷醉之中。

他下方的谷底,是一个大湖。湖的东面长满了芦苇,北岸有一座岛,有几条溪水流入湖中。在远处也有一条明亮的带子,它显然是一条湖边的路。在峡谷的西端,是一片丛林。那里有几个人影在晃动,似乎在放牧或打猎。

悬崖下面的这些景象,不由燃起了这位探险者的热情。这里无疑就可以揭开威伦瓦兹山失落部族的秘密。原来有这样一道道天然屏障把他们包围在中间,让他们与世隔绝!再加上山外居民的无知和迷信,于是就成就这样一个神秘的童话世界。

就他目力所及,这里的峭壁几乎笔直,无路可以攀援而下。但是他也知道和相信这里必定会有下去的路,能够进入这充满魅力的山谷。

沿着峡谷的边缘,埃里克仔细地寻找着能够下到谷底的落脚点。不论多么小,在那里大自然会减轻对峡谷的防卫,让我们的探险家循路下到谷底。但是到天黑之前,他还只找了有限的一段路。他找过的边缘都被花岗岩封得非常严实,这一带从上到下都是花岗岩,到谷底约有一千尺,在这里简直找不到一处落脚点。

就在太阳快落下的时候,他在花岗岩的石壁上发现一处裂缝。母岩上的碎石充塞在这个裂缝里。这里似乎提供了一条从峭壁顶上向下去的路。但是因为天已黑下来,他无法确定他能沿着这条粗糙的路向下走多远。

在饥饿和寒冷中,他将迎来夜晚的降临。当夜色越发地黑暗时,他竟在崖底的峡谷中,发现有灯光闪烁!然后这一点那一点都有灯光亮起。而每多一处灯光,他就多一些兴奋。在岛上的一处最后竟也亮起了许多灯光。

这是一些什么样的人?能点亮这些火光?他们代表友好还是敌意?他们是另外一种非洲部族?或者就是传说中那些失落部族中的白种人?他们正在那些诱人的火光中烧他们的晚餐?

等等,这是什么?埃里克竖起耳朵捕捉到了从深谷传来的诱人的声音。他可以肯定,这是一种人的声音。与此同时,在峡谷之外传来野兽的吼叫,像是遥远的雷声。最后埃里克还是因为疲乏已极而昏然入睡,暂时消除了饥饿和疲劳。

早晨来临,埃里克只能从生长得不好的矮树上找一些树枝来取暖。这里他找不到任何有生命的动物狩猎,除非他能下到一公里底下的峡谷底部青翠的草原上。

他需要食物,越快越好,它们可能就在峡谷的底部,如果他绕圈找到下到谷底的路,那他也许要绕行一百公里或者更多。当然他也可以返回,回到威伦瓦兹山脚下,但是他不能忍受失败。

尽管埃里克年轻、自信而且热情,但他的下一步也只比自杀好一点。如果换了别人,只是想从这陡峭的悬崖向下数百尺也是一种有点疯狂的想法。不过在别的山上,埃里克却经常这么干,所以他要冒险一试。就在他走到悬崖边,正要向下时,他突然听到背后有脚步声,于是他急忙拔出他的鲁格尔自动手枪,转身向着来者。

三
泰山遇险

小尼可玛奔跑着,叽叽地叫着,穿过树枝激动地跳到人猿泰山的膝上。这时的泰山刚经过一次猎杀和饱餐,伸展地躺在一株大树的粗枝干上休息。

"戈曼更!戈曼更!"尼可玛用猿语尖叫着,"他们来了!他们来了!"

"安静点!"泰山说,"你是丛林里最讨厌的,比所有的戈曼更都讨厌。"

"他们要杀死小尼可玛,"猴子喊叫道,"他们是陌生的戈曼更!"

"尼可玛以为不论什么人和动物都要杀死它。"泰山说,"可是至今它已活了许多年,也没有死。"

"狮子、猎豹、戈曼更,还有蛇都喜欢吃可怜的小尼可玛。"猴子插进来说,"这就是为什么它觉得害怕的原因。"

"不要害怕,尼可玛,"泰山说道,"泰山不会让任何东西伤害你。"

尼可玛催促着说:"泰山快去杀了他们!尼可玛不喜欢戈曼更。"

泰山懒洋洋地站了起来，说道："尼可玛可以一起去，也可以躲到大树上面去。"

"尼可玛可不怕他们。"小猴子见泰山答应，有点忘乎所以地说，"尼可玛会和人猿泰山一起去和戈曼更战斗。"说着就跳到到泰山的肩上，并用胳膊勾住了泰山紫铜色的脖子，胆怯地向前窥探，不安地从泰山的一肩转到另一肩。

泰山在树枝上迅速地荡向前方，看到树下有几十个土人，正沿着丛林的小路散乱地走着。所有的人都拿着大大小小的行囊，有几个还背着来复枪。泰山一看就知道这些装备一定是属于某个白人的。

丛林之王向他们打了招呼，他们抬起了头，都有点害怕的样子。

"我是人猿泰山，不用害怕。"泰山再次向他们保证。同时，他轻捷地跳落到队伍中间。尼可玛发疯一样地离开他的肩膀蹿上树枝，完全忘记了不久前自己吹牛的话。

"你们的主人在哪？"泰山问道。

这些黑人都低着头不作声。

"你们的宛那埃里克·冯·哈本在哪？"泰山再次问道。

一个高个子黑人正站在泰山旁边不安地咕噜着说："他死了。"

"他怎么死的？"泰山追问道。

这个人犹豫地说道："一头被他打伤的公象杀死了他。

"那么他的尸体在哪？"

"我们找不到。"

"那你们怎么知道他是被一头公象杀死的？"

"我们不知道。"另一个插进来说,"他离开了帐篷再没有回来。"

"当时,附近有一头大象,所以我们猜他是被大象杀死了。"那个大个子又插进来说。

"你们没讲真话。"泰山说

"我告诉你真话吧！"第三个人又说,"我们的宛那爬上了威伦瓦兹山坡,惹恼了死亡魔鬼,把他带走了。"

"我告诉你们真相吧！"泰山生气地说,"你们抛弃了你们的主人,逃跑了,把他一个人丢在山上。"

"我们害怕了。"那个人只好回答说,"我们警告过他,求他回去,但他不听我们的,所以他被死亡魔鬼带走了。"

"这有多久了？"

"六七天,或者十天以前了。记不准了。"

"你们最后看见他在什么地方？"

他们七嘴八舌地尽量描述他们最后在威伦瓦兹山坡上扎营的地方。

"你们走吧！回到你们的村庄去。如果你们的宛那死了。你们将受到惩罚。"说完,泰山就从树丛中悠荡开去。他直向威伦瓦兹山奔去。不久泰山就从这些沮丧的黑人视线中消失了。他的尼可玛也尖叫着从树梢上奔跳着追去。

从与黑人谈话中,泰山相信这个年轻人被背叛者们遗弃后,最大的可能是他循着背叛者的脚步一路追上来。

由于不了解埃里克·冯·哈本,泰山不知道这个年轻人会朝着威伦瓦兹山的险境继续前进。所以泰山沿着探险队走过的路，仔细地搜索下去，希望随时可能遇到埃里克。

这一计划大大降低了他行进的速度，尽管如此，在他见过探险队的土人以后的第三天，他已经来到威伦瓦兹的山坡上。

因为有过一场大雨和风暴，消除了埃里克走过的痕迹，所以费了好大的事，泰山才找到他扎营的地方。那里帐篷被吹倒了，但他却找不到埃里克留下的任何踪迹。

在丛林里没有发现埃里克追踪逃跑黑人的痕迹，泰山只好相信如果埃里克不是死亡，一定是面向了不可知的危险、活在威伦瓦兹山的什么地方。

"尼可玛，你知道我们有句话叫'大海捞针'吗？你相信在这座大山里，我们也能找到那根针吗？"

"让我们回家吧！这里风吹起来冷啊！这里没有小猴子的地方。"

"没有关系，尼可玛，这里正是我们要去的地方。"

猴子望着高处狰狞的大山说："尼可玛害怕那里，那里是豹子的巢穴。"泰山再没有说什么，斜向西面走去。

泰山全神贯注地在危险的山路上寻找埃里克的足迹，以致他没有注意到有一小队武士，正躲在坡下的一片树丛中注视着他们。

他们走上了一段更加艰难的路。右侧是壁立的崖壁，左侧是千尺深崖。泰山不得不紧贴右面的石壁前行。正在这时，踏脚处一块石头滑落，一时使他失去了平衡，就在这同时尼可玛以为泰山要跌倒，尖叫着从他肩上跳了开去，这一蹬使泰山完全失去了平衡。

山体虽不是垂直的,但也很陡峭。泰山这一滑让他向崖下跌去,他在碎石的山崖上翻滚着,直到被一棵小树挡住。

吓坏了的尼可玛蹿到泰山耳边乱叫起来,又推又拉。泰山却失去了知觉。一小股血从他的额头流出来,渗入黑发。

正当尼可玛呜咽的时候,那一小队武士从下面把他们看了个清楚。他们爬上山来,向尼可玛和它那昏迷中的主人走去。

四
深入谷底

当埃里克转身举枪对着向他走近的来者时，却发现对方是一个带着来复枪的黑人。

"葛布拉！"白人叫了起来。他放下武器说："你来做什么？"

"宛那，"武士说，"我不能抛弃你。我不能把你一个人留下来，死在这个山上的魔鬼手里。"

埃里克·冯·哈本看着他，有些不解地问道："你既然相信这些，葛布拉，你就不怕他们也会把你杀了？"

"我愿意去死！宛那，"葛布拉回答说，"我不明白为什么第一天晚上，他们没有杀死你，第二天晚上也没有。那么今天晚上，我们俩一定会被杀死的。"

"可是现在你还要跟着我！这是为什么？"

"你对我很好，宛那。"他回答说，"你父亲对我也很好。但是当土人们谈论这座山的时候，我头脑里充满了恐惧。开始我跟他们跑了，可是现在我回来了。现在我能帮你做什么？"

"不，葛布拉，如果魔鬼出现，对你对我，都没有任何可做的，所有人都一样，只能逃跑。"

"葛布拉和他们不同，葛布拉是武士！"

"是的！葛布拉是一个勇敢的武士。"埃里克说,"我不相信这里有魔鬼。所以我没有理由害怕。你相信这里有魔鬼,你能回来已经很勇敢了。我并不一定要你留下,如果你愿意,你也可以回去和其他人在一起。"

"是吗？"葛布拉热心地叫道,"宛那是要回去吗？这很好,葛布拉会和你一起回去！"

"哦,不,我要到下面的峡谷去。"埃里克指着崖边说。

葛布拉走到崖边向下看了看,吓得瞠目结舌,老半天说不出话来。

"宛那,尽管人们可能找到下去的路,但是这里却没有落脚和抓手的地方。从这里掉下去,只能是粉身碎骨。无疑这里一定就是威伦瓦兹山魔鬼居住的地方。"

"你不必和我一块下去,葛布拉。"埃里克说,"回到你的朋友那里去吧！"

"那么,你自己怎么从这里下去呢？"黑人问道。

"现在我只能从这个裂缝下去,能走多远就走多远。"

"但是,如果这裂缝下面找不到下脚窝怎么办？"

"我会找到的。"

葛布拉摇着头说:"就算宛那你到了谷底,并且你又是对的,魔鬼不杀你,可你怎么回来呢？"

埃里克耸了耸肩而且微笑了一下,伸出手说:"再见,葛布拉,你是一个勇敢而可爱的人。"

葛布拉没有接他主人伸出的手,只简单地说:"我跟着你。"

"我不理解了,葛布拉。你害怕,而且你又想回到你的村子去,可为什么你又非跟着我?"

"我曾说定为你服务,宛那,而且我还是个武士!"葛布拉回答说。

"那么我要感谢上帝,是他给我派来一个武士。"埃里克说道,"只有他知道,在我到达谷底以前确实需要人帮助。而且我们必须到达谷底,否则我们会饿死的。"

"我已经给你带来了吃的,"葛布拉想了起来,"我知道你会挨饿的,这都是你爱吃的。"

说着他就打开了带来的一个小包,拿出来根巧克力条和一些压缩食品,是埃里克放在他行囊里的。

对于饿极的埃里克来说,食物就是上帝的恩赐,他立刻享受起葛布拉对他的关心与体贴之情来。一会儿,难受的饥饿感消失了,他亲身体验了体力恢复与充满希望的感觉。现在他要以愉快与乐观的心情,重新考虑如何下到峡谷里去了。

葛布拉的许多代祖先都是丛林居民。但他俯视着那道裂缝,仍觉得胆战心惊。现在却要他跟随着主人从这里下去。他赋予了这一行为履行忠诚的诺言和部族荣誉的意义,不肯表露出他内心的恐惧。

穿过裂隙往下走,比他们原来从上面看到的要容易些。滚落下来的碎石部分填塞了裂缝,就有了许多可以落脚的地方。只在有限的几处地方需要互相帮助。在这种时候,埃里克更体会到葛布拉回来有多么重要。

当最后他们到达裂缝的底部,这里距上面已有几百尺,正是埃里克从上面看不到的地方,也是他极想到达的地方。不过这里可能只是他们继续向下的一个阶段。埃里克爬过这里松散的石块地面,到裂缝的外沿向下一看,他不由得倒抽了一口凉气。因为这里距地面还有陡峭的一百多尺,但要从这里回去,则是怎么也不可能的。

剩下的只有一种选择,那就是如何想法下去。埃里克只好肚子贴着地面,让葛布拉紧紧抓住他的脚踝,他尽量爬向裂缝口向外看去。原来这里只是裂缝的一部分。裂缝向下直达地面。在他肚子的下面是一块巨大的石块,恰好堵在裂缝的这个部位,它紧紧地楔在裂缝的中间,不上不下。

这条裂缝相当狭窄。从上到下一直只有两三尺宽。它在这块大石块的下面也保持着这样的宽度,还有百多尺才到达地面。埃里克用他粗糙的登山杖从大石的外沿向下探索。登山杖的长度正好是这块大石的直径。如果可以抓住登山杖的一头,有一个人可以到大石下面去,那么他就可以一面倚着石壁,一面下移到地面。但这根木杖是否会中途折断是个未知数,而且下去的那个人又得有点马戏团演员的功夫才行。那么第二个人呢?要是有一根绳索就好了。

葛布拉听了主人的意见,也爬到大石的外沿向下看了看,不由得吓得发起抖来。然而如果埃里克真能这样下去,那么葛布拉舍命也会跟下去。

埃里克的眼睛一次次打量着这块大石头。他忽然发现这块大石的背后直到裂缝的深处,都由一些碎石块填满了。这情况忽然给了他灵感。他跳起来说:"来呀!葛布拉,帮我把这些碎石块搬开,看我们能不能掏一个洞通到下面去!"

"是的，宛那！"葛布拉说着就在埃里克旁边工作起来。有的石块很大，搬起来很吃力。他们也能听到石块下落的响声。这听起来很让他们振奋，他们工作得就越发努力。

"现在可以看到我们会成功了。"埃里克说。

"是的，宛那。"葛布拉说。这时他正把一块大点的石头推向下面。而就在这下面竟出现了一个空洞。葛布拉不由得叫起来"看哪！看哪！宛那。"一面指着石块搬开后露出来的空洞。

埃里克过来看到这里有了一个人头大小的空洞。"感谢上帝！葛布拉。"他叫起来，"看起来这里可真是一条拯救我们的路！"

现在这两个人开始努力扩大这个通道。正当他们努力工作时，一个高个子武士正站在一条独木舟船头，在沼泽湖里注意着崖壁落下的石头，并招呼他的同伴们注意。

他们可以清楚地听到石块落地的声音。如果能看得仔细一点，还能看到埃里克和葛布拉推下来的大石块。

"这面大墙要垮了！"一个武士说。

"只是落下来几块石头。"另一个说，"没关系的！"

"这种事只在下大雨之后才会发生。"第一个人说，"这也许是大墙要垮掉的先兆。"

"或者这是一个妖魔，他住在大墙的裂缝里。"另一个说，"我们赶快去报告吧！"

"让我们多看一会儿。"第一个武士说。

埃里克和葛布拉扩大了那个洞，直到可以钻过一个人的身

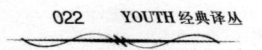

体,而且可以看到下面的情况,那里直通到地面。

"一次只能下去一个人,葛布拉。"埃里克说,"让我先下去,因为我习惯攀登。你看仔细了,你要让你的背顶着一面的墙,用腿蹬住另一面墙,一步步向下移动。这墙是不平,我们一步步向下要特别小心。"

"是的,宛那,你先走,"葛布拉说,"我看着你做,我会照着做。"

埃里克通过孔洞开始向下。他把身体倚在一侧墙上一步步向下移动,没过多久葛布拉就看见他的主人已经安全地站在地面上了。尽管这时他的心跳得很快,但他并没有迟疑地也跟了下去。最后当他也站在埃里克的旁边时,不由得长长地出了一口气,引得埃里克大笑起来。

"那是妖魔。"当埃里克从裂缝站出来时,独木舟上的一个武士说。

这时独木舟正隐藏在高高的纸莎草后面,正好可以看见峭壁裂缝下面的平地。武士们先看见埃里克从裂缝里出来,接着几分钟之后又看见葛布拉站出来。

"现在,我们要去告诉主人了。"他们中的一个说。

"不!"第一个武士说,"这两个可能是妖魔,但他们看起来更像人,我们一定要弄明白他们是谁,为什么到这里来,再去报告不迟。"

从裂缝出来,向东有一千多尺的斜坡,这里要比他们从裂缝走下悬崖容易多了。从这里通向峡谷的地面有一片粗糙的土地。在向下走时,他们看见前面不是太远处有一片湖面,但是从这里到湖边，一路却有不少散乱的被风雨磨损的大小不等的花岗岩石块。所以,从湖上看他们不免时隐时现。

由于湖面长了许多水生的植物,所以水面时隐时现,就好像它是一道道弯弯曲曲的小路,向各个方向伸开去。

正当埃里克和葛布拉站着观望这些新奇的景色时，湖上独木舟上的武士们也注意着他们。这两个陌生人离他们还远。

"你怎么知道他们不是妖魔。"他们中的一个问道。

"我看他们是人。"他们领头的回答说。

"妖魔是很聪明的,而且很有本领。"那个疑问者坚持说,"他们可能变成小鸟,或者动物和人。"

"他们不是傻子,"那个领头的人插进来说,"那么如果他们是妖魔,为什么不变个鸟儿飞下来,不是省事得多吗?"

另一个人摇着头,觉得没法回答这个问题,而且争论起来,他也说不出更多的理由,但他还是坚持立刻就去报告。

"不!"领头的说,"我们就留在这,等他们走近些。最好是我们能带他们一同去见主人。"

埃里克刚进入绿色的草地,就发现这里不是草地,是危险的沼泽。如果他们要走进这里,那是很危险的。挣扎着从这里走出来,他重新寻找峡谷里地面坚实的通路。但是他发现往前很远都是这种貌似草地的沼泽。只有走上峡谷的高地,再向西寻找坚实的路面。然而这一点并不确定,而且他和葛布拉都相当疲乏了。他宁愿找一个更近的路通到湖边去。

埃里克发现挡在他前面的水流并不太急。但是水的流速又表明河底不会是淤泥。为了验证自己的想法,埃里克首先潜入河

他们要迈上河岸时,却发现自己被一船武士拦住。

水中,拿着登山杖的一头,让葛布拉拉着另一头。虽然河水没腰,但河底却是坚硬的。

"来呀!葛布拉,这大概是我们能通向湖边最近的路。"他说。

当葛布拉在他主人之后也潜入水中,满载武士的独木舟也开始轻轻划桨向前,在纸莎草丛中无声地向小河流入湖中的入口赶去。

埃里克和葛布拉发现这河并不深。有那么几次他们曾踩进河底的洞里,但也只游两三下也就过去了。现在河水渐渐地变浅了,只及膝盖。但是埃里克说:"这里似乎没有坚硬的河岸,都是些纸莎草的根,要找到坚硬的河岸,我们还得向湖的西面走一段。我敢肯定在那里我们能找到坚硬的河岸。"

他们小心地向前走着,终于找到一处坚硬的河岸。他们要迈上河岸时,却发现自己被一船武士拦住。

五
巴格哥人

巴格哥人鲁可迪拿着一葫芦奶向村子里一座小屋走去。这个村子正处在威伦瓦兹山脉西端的下坡,两个强壮的持枪士兵守在门口。"纳育托让我来给囚犯送奶。他醒了吗?"

"自己进去看!"一个哨兵命令道。

鲁可迪进到屋里,在暗淡的光线下看到一个大个子白人坐在光地上。这个人的两手被绑在背后,他脚腕也被牢实的纤维绳捆着。

"这是吃的。"鲁可迪说,把葫芦放到靠近囚犯的地上。

"你们把我的手绑到背后,我怎么吃?"泰山问道。

鲁可迪搔着头说:"我不知道。纳育托教我送食物,没有说松开你的手。"

"把我缚着的手松开,"泰山说,"不然我怎么吃东西。"

一个站在外面的枪兵走进小屋问道:"他说什么?"

"他说除非松开他的手,不然没法吃饭。"

"那么纳育托叫你给他松开手吗?"

"没有。"鲁可迪说。

那个枪兵耸了耸肩说:"把食物放下,你就完成任务了。"

鲁可迪转身正要离开小屋。泰山问道:"等等,谁是纳育托?"

"他是巴格哥人的头领。"鲁可迪说。

"去对他说,我要见他。告诉他把我的手缚在背后我没法吃东西。"

半个小时后,鲁可迪回来拿着一条生了锈的奴隶链子,和一个老式的挂锁。

"纳育托说,我们可以把他锁在中央的柱子上,然后把他的手打开。"他对两个卫兵说。

说着他们进了小屋。鲁可迪把锁链的一头锁在柱子上,另外的一头绕过泰山的脖子锁起来。

"把他手松开。"鲁可迪对一个枪兵说。

"你自己来,"一个武士说,"纳育托叫你来的,我们只是守在这里。他不会伤害你。"

"我不会伤害他,"泰山说,"那么你们是谁?你们又认为我是谁?"

一个最后说话的枪兵笑起来说:"他问我们是谁,好像他还不知道我们是谁。"

"我们可知道你是谁,不是吗?"另一个枪兵说。

"我是人猿泰山,我和你们巴格哥人并没有什么仇恨。"

那个最后说话的枪兵嘲弄地说道:"这可能是你的名字,你们失落部族的人都有奇怪的名字。可能你和巴格哥没有过争吵,但巴格哥人却和你们的人有争吵。"说着他就和他的同伴一起大笑着离开了小屋。鲁可迪留下来,他明显对这个囚犯感兴趣。

泰山拿起葫芦喝光了里面的奶,鲁可迪一直好奇地看着他。

"你叫什么名字？"泰山问道。

"鲁可迪。"年轻人回答。

"你从来没有听过人猿泰山吗？"

"没有。"

"那么，你认为我是谁？"泰山问道。

"我们只知道你是属于失落的部族。"

"你不认为失落部族的成员都是鬼魂吗？"泰山说。

"这我们不知道，"鲁可迪说，"有人这么说，有人那么说，至于你，我们都认为你是他们中间的一个。"

"我不是他们中间的一个。我来自很远的南方，我既听说过你们巴格哥人，也听说过失落的部族。"

"我不敢相信你的话。"鲁可迪说。

"我说的是真话。"泰山说。

鲁可迪摇着头说："或许你说得不错。你穿的衣服和失落的部族的人不一样，你用的武器也和他们不一样。"

"你们看见过失落部族的人吗？"泰山问道。

"很多次，"鲁可迪回答说，"每年一次他们从威伦瓦兹山的峡谷深处出来和我们进行交易。他们拿出鱼干、蜗牛、铁，而换进去盐、羊、牛。"

"既然你们之间进行着和平交易，为什么还要把我当囚犯？"泰山问道。

"交易是有的，但是他们也经常把我们当作敌人。"

"那又是为什么？"

"他们会带许多武士来掳走我们的人，男人、女人和小孩都掳进威伦瓦兹山里去。这些人没有回来过,也许他们被吃掉了。"

"纳育托准备拿我怎么办?"泰山问道。

"我不知道。"鲁可迪说,"他们正在讨论这个问题。他们都希望处死你,但是有几个相信,这会引起已故巴格哥人灵魂的愤怒。"

"为什么已故的巴格哥人的灵魂会愤怒?"泰山问道。

"有好多人认为失落部族的人就是我们的亡灵。"鲁可迪说。

"那么你怎么想?"

"当我看到你时,我认为你和我一样是有血有肉的人。你说你不是失落部族的人,我也认为你是说了真话,因为他们都是些鬼魂。"

"当他们和你们进行贸易或打仗时,你能分清他们是人是鬼?"

"他们都非常有本事。"鲁可迪说,"他们可能以有血有肉的人出现,也可能以蛇或狮子的样子出现。这是我们确定不了的。"

"你觉得会议会作出什么决定?"

"我想他们会把你烧死,这样你的肉体和灵魂都不会再来打扰我们了。"

"你最近还听说或看见过有别的白人吗?"泰山问。

"没有。"年轻人回答说,"许多年以前,我能记事以前,听说有两个白人来过。他们说他们不是失落部族的人,但是我们的人不相信,他们被杀死了。我现在要走了,明天我会给你带更多的奶来。"

夜幕降临,泰山伸直了身体躺在地上,进入了梦乡。究竟睡了多久他不知道，但他被一种声响弄醒了。他很小生活在丛林中，就养成一种本能，一旦醒来所有的感官能立刻进入警觉状态。现在他明白把他弄醒的是屋顶上的一个动物。村里做饭的气味太浓，以致他闻不出这究竟是个什么动物。这个动物要么笨到不知道小屋有门可以进来，要么精到要避开门口的武士。

泰山仰面躺着看着屋顶。就在这时，屋顶露出了一条缝，月光正从这里射进来。动物无声地把这个口子越撕越大，一个侧影正从这裂缝中显露出来。泰山不由得脸上露出了微笑。那个毛茸茸的东西挤身进来，从屋顶跳下来落到泰山身旁。泰山这才小声地问道："你怎么发现了我？"

"尼可玛追着你。"小猴子说，"他整天就坐在村子外的高树上看着这里，等着天黑。你为什么待在这儿？人猿泰山为什么不和尼可玛一起？"

"有一条链子拴住了我。我走不了。"泰山说。

"尼可玛去叫伟万里和他的武士来。"尼可玛说。

这些话在别人听起来，就好像动物的叽叽叫，猿语词汇也有所不同。比如伟万里就是"拿尖棒的黑人"，但是泰山和尼可玛都明白说的是瓦齐里人。

"不，"泰山说，"形势紧迫，等不得他们了。回到丛林里去！等着我。我很快就会见到你。"

尼可玛咕咕噜噜，不愿意走，它害怕待在陌生的丛林里。现在它和泰山待在有四面墙的小屋里反而觉得安全。这时，一个外面的卫兵听到屋里有声音，就挤进来。泰山对尼可玛说："快走，在他们捉到你以前！最好到树林里去，不然他们会捉住你、吃掉你。"

　　这时卫兵问道："你和谁说话？"也就在这时他听到蹦跳的声音，然后看到一个黑影从屋顶的裂缝里蹿出去消失了。

　　"那是什么？"卫兵紧张地问道。

　　"那个吗？"泰山回答说，"是你祖父的灵魂，他来告诉我，如果你们伤害到我，你和你的妻子和你们的孩子，都要生病或死亡。他也要这消息让纳育托知道。"

　　这卫兵听了怕得抖起来。"让他回来。"他求道，"告诉他，我对你可什么也没做，不是我，是纳育托，是他要杀你。"

　　"我没法叫他回来。"泰山说，"最好是你去告诉纳育托不要杀我。"

　　"明天早上以前我见不到纳育托。"卫兵哭起来，"也许现在太晚了。"

　　"不，"泰山说，"你祖父的亡灵明天早上以前还不会做什么。"

　　那个士兵戚戚然地出了小屋。泰山听他正与同伴商量，泰山暗笑着睡去了。

　　第二天早上很迟了鲁可迪才带着一胡芦奶进来。他非常激动地问："奥冈约说的是真的吗？"

　　"谁是奥冈约？"泰山问道。

　　"就是站在门外的那个卫兵。他对纳育托说他昨天夜里看见他祖父的亡灵了，而且听到那亡灵和你的谈话。说是如果你受到伤害，那全村的人都要被杀。现在全村的人都害怕。"

　　"纳育托也害怕了吗？"泰山问。

"纳育托什么也不怕。"鲁可迪说。

"连祖父的亡灵也不怕?"泰山问。

"不怕!全巴格哥只有他不怕失落部族的人。现在他非常生气,因为你让全村的人都害怕,所以今天傍晚他就要烧死你。"

鲁可迪指着低矮的小屋门外面说:"看!从这你可以看见他们正在堆干柴,而年轻孩子们正在丛林里收集枯枝。"

泰山却指着小屋顶上的裂缝说:"这里,就是那个洞,是奥冈约祖父的亡灵弄出来的。叫纳育托亲自来看,他就会相信。"

"那没什么用,"鲁可迪说,"他就是能亲自看一千次亡灵,他也决不害怕。他很勇敢,但同时也很顽固。现在看起来,我们大家都活不成。"

"那是肯定的!"泰山说,"你能帮我逃跑吗?如果能,我肯定亡灵会放过你和你的家人。"

"噢,怕不能。"鲁可迪说着就把奶递给了泰山。

"你只能给我带奶来。"泰山问,"为什么是这样?"

"在这个村子里的人都属于布里索人,因此,我们不喝奶也不吃黑牛肉,它只留给客人或囚犯。"

"我希望纳育托能和我谈一谈。"泰山说。"那么他会知道,和我做朋友比与我做敌人好得多。很多人曾经要杀我,许多人比纳育托大得多,这样的小屋也不是第一次囚过我,也不是第一次有人要用火来迎接我,但我仍然活着,而那些人却死了。去对纳育托说,应该对我像一个朋友,因为我并不是来自威伦瓦兹山里失落部族的人。"

"我相信你,"鲁可迪说,"我也会对纳育托去说,但是我恐怕他不会听我的。"说完他就向小屋门走去。

正当这时,村子里起了一阵骚乱。泰山听到有人发出口令声,也听到许多双赤足跺地的声音,然后响起了战鼓和武器撞击盾牌的声音。站在门口的卫兵也立刻跑去参加了他们的队伍,最后鲁可迪从门外跑进来,哭叫着说:"他们来了,他们来了!"跑进小屋的角落躲在那里发抖。

六
帝国的遗民

埃里克·冯·哈本看了看大个子武士凶狠而充满敌意的脸色,但最引冯·哈本注意的还是他们的武器。

他们的矛和现代非洲黑人用的标枪不同,倒是使这位考古学家想起古代罗马人用的投枪。他们用一根皮带斜挎在左肩,在腰间摇摆的双刃剑更像是古罗马人的装备。埃里克这样熟知历史的人可以十分肯定它和罗马军团用的并无二致,否则他的考古学就是白学了。

"葛布拉,问问他们想要我们干什么?"埃里克对葛布拉说,"也许他们会懂你的话。"

"你们是谁?你们想让我们干什么?"葛布拉问道。他用的是他们部族的班图语。

"我们想和你们做朋友。"埃里克插进来说,用的也是班图语,"请带我们去见你们的头领。"

坐在独木舟尾部一个高个子黑人表示他不懂他们说的话,直摇头说:"我不懂你说的什么!"(埃里克和葛布拉不懂他的话,只是从他摇头和摆手的动作猜出他的意思)他继续说:"你是我们的俘虏了!我们将和你们一道去见我们的主人。到船上来!你们要是反抗或者找麻烦,我们会杀了你们。"

"他们的话很奇怪,"葛布拉说,"我完全不懂他们在说什么。"

埃里克脸上表现出迷惑不解的表情,就像听到一个已经死于两千年以前的人正在说话似的。

埃里克是个研究古罗马历史和语言的勤奋学生。他认定现在亲耳听到的就是活生生的拉丁语,但却和他从发霉的手稿中学习到的有不小的差别。

尽管他基本上还能弄懂他们说话的意思,但是他以为这种语言很可能是拉丁语与班图语的混合。

埃里克经常想象自己是一个罗马公民。他用拉丁语发表演说,在非洲或高卢的军队中讲话,都很自然而流畅。但面对目前的现状,却完全是另外一种感觉。他说话的声音连自己听起来都有点奇怪,而且所谈内容连自己都觉得不知所云,好像不是用恺撒帝国的语言在说话。

"我们不是敌人。"他说,"我们以朋友的身份来访问你们的国家。"然后,他等待着,很难相信对方会完全理解他的意思。

"你们是罗马公民吗?"武士问道。

"不,但是我的国家与罗马是和平相处的。"埃里克回答说。

对方有点迷惑地看着他,好像没有听懂这回答的意思。"那么你是从嗜血的撒奎纳琉斯军团[①]来的?"这话听起来有点火药味。

---

① 此军团包括后面提到的罗马人军团均为作者虚构。

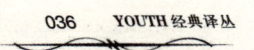

"不！我来自德意志。"埃里克回答说。

"我从来也没听说有这样一个国家！我看你就是来自撒奎纳琉斯军团的罗马人。"

"领我去见你们的头领。"埃里克无奈地说道。

"这正是我们想做的。上这里面来,我们的头领会知道怎么对付你们。"

埃里克和葛布拉爬上了独木舟,他们的动作太笨拙,差点把船弄翻,引起了武士们的反感。两岸纸莎草丛生,有十至十五尺高,完全挡住了他们的视线。

"你们属于什么部族？"埃里克问武士们的头目。

"我们是梅里的蛮族,是瓦里图斯·奥古斯都的臣民。但是你问这些干什么？你本来就知道这些不是吗？"

有半个小时,他们一直划着桨。终于来到一处用纸莎草根做成的小屋。这个村子只有五六座这样的小屋。在这里,埃里克和葛布拉成为好奇的男人、小孩和妇女围观的中心。他们被说成是俘获,而且是来自罗马军团撒奎纳琉斯的间谍。埃里克了解到,他们第二天就会被押送到梅里军团,那个押送武士提到的最高首领的所在。

当这个村子的首领出来见他们时,埃里克的好奇心又使他向首领提出问题。他问为什么这里人都把他们当作敌人。

"你是一个罗马公民,"首领回答说,"而另一个又是你的奴隶。我们蛮族的主子不允许我们伤害罗马公民,即使你们是来自撒奎纳琉斯军团,除非我们是为了自卫,或在战场上。"

"那么谁是你的主子？"埃里克问道。

"怪事！一个罗马公民,不管是梅里军团,还是来自撒奎纳琉斯军团,应该对这些一清二楚,你好像什么也不懂。"

"因为我并不是撒奎纳琉斯军团的人。"埃里克坚持说。

"这个问题你去对瓦里图斯·奥古斯都的官员说。"蛮人首领回答说,"或许他们会相信你。但我肯定是不会信的。"

"那么你们都是梅里军团中的黑人了？"埃里克继续问道。

"把他们弄走。"蛮人首领不耐烦地说,"关在小屋里,让他们在那里问一些只有傻子才会问的问题。我可是不想听他们絮叨了。"

埃里克和葛布拉被一小队武士带走,领进了村里一座小屋。一会儿有人给他们拿来鱼、蜗牛和纸莎草笋的食品作为晚餐。

当清晨来临,囚犯仍然吃的是和昨天晚饭几乎一样的早餐。饭后他们被立刻叫出了屋外。

在村外的河道上停靠着五六只独木船,上面坐满了武士。就像非洲土人参战前一样,他们脸上和身上都涂了油彩,手脚戴了臂环和脚镯,头上插有羽饰,正待命出发。船头也油漆一新。

埃里克试图与船里的指挥官交谈。他特别想问清目的地是哪里,他们要被交给的"领导"是什么人？但是一直沉默寡言的武士却让埃里克碰了钉子,最后埃里克只好什么都不问了,只在那里静坐不语。

他们划了一个多小时。酷热的天气和单调的景致让人难以忍受,直到船队拐了一个弯,进入一片比较宽阔的水面。水面对岸是一片高地,由一座座土墙围起,土墙上有坚实的栅栏。埃里克可以看到远处土墙上露出城内的屋顶和更远处高耸的悬崖。

船队直接向两座高的塔楼驶去。那里显然是城墙的大门。

这时可以看到人影在大门外来回走动。当他们看到船队过来时,有人吹响了号角。有一二十人聚集在大门口,也有人跑到水边来。

当船划近岸边,船队中一个类似军官的人发出命令,船队停在离岸约一百码处。然后刚才发号施令的人向岸上的士兵喊话,告诉他船队来自何方、有何事。然后岸上回应允许头船靠岸,而其余的船需停在原地。

"你们仍停在原地!"一个士兵喊道。显然这是一个下级军官。当头一只船到岸时,他说,"我已经报告了百夫长。"

埃里克吃惊地注意到岸上士兵的装束。他们上身穿束腰上衣和斗篷,脚踏凉鞋,头戴盔帽。穿着皮的胸甲,手持古代盾牌、长矛,带一柄西班牙式佩刀,果真都是罗马军团的样子。

他们对于埃里克只略显出一些好奇。这低级军官向船上的蛮族士兵询问有关村子的情况,显出他对于边远村庄的关切。

两个人从大门走出来,直奔木船停泊处。一个是普通士兵,另一个显然是一位官员,正是大家等待的人。他的斗篷和胸甲都是精心制作的装饰。

这是自埃里克走下悬崖以来再一次经历万分惊讶的事:这位官员确实是一个白人!这是他在峡谷中除了自己以外看到的第一个白人,他的一切特征都无可质疑地显示他是一个白人。

"他们都是谁?芦菲纳斯。"官员询问道。他说的好像是一种古老的罗马方言,但埃里克基本上能听懂。

"蛮族首领和武士们从西岸的村子来。"芦非纳斯回答说,"他们带来两个犯人,是他们俘虏的。作为奖励,他们希望能进城看看,并要求能晋见皇帝。"

"他们有多少人?"这官员问道。

"六十人。"

"他们可以进城,"这位官员说,"我可以给他们通行证,但是他们必须把武器留在船上,而且天黑以前出城。我会派两个人和他们一起。至于晋见皇帝瓦里图斯,我无权安排。他们可以到皇宫请示那里的长官。现在把囚犯带到岸上来!"

当埃里克和葛布拉跨出木船的时候,这位官员的脸上不由得充满了迷惑的表情。

"你们是谁?"他问道。

"我的名字叫埃里克·冯·哈本。"囚犯答道。

这位官员不由得猛烈地摇起头来。"在撒奎纳琉斯军团不可能有这样的姓氏。"

"我们不是从撒奎纳琉斯军团来的。"

"不是从那儿来?!"这位官员不由得笑起来。

"这也是他曾经告诉我的谎话。"蛮族首领插进来说。

"那么下面他该说他连罗马公民也不是了吧!"官员不无嘲弄地说。

"他刚才就是这么说的。"蛮族首领说道。

"等等,"官员大声说,"我再确认一次,你确实是个罗马公民吧?"

"不!我不是来自罗马。"埃里克肯定地坚持说。

"难道在非洲会有白种野蛮人吗?"这官员喊了起来,"你的衣服确实不是来自罗马。你一定是个土人,除非——我猜想你并没讲真话——你就是来自撒奎纳琉斯军团的。"

"一个奸细。很可能是!"芦非纳斯说。

"不,"埃里克反驳,"我不是奸细或密探,也不是你们的敌人。"他不由得笑起来,"我是一个土人,但是一个友好的土人。"

"那么这个人是谁?"官员指着葛布拉问道,"是你的奴隶吗?"

"是我的仆役,但不是奴隶。"

"那么都跟我来。"官员说,"我愿意和你谈谈,我发现你很有趣,尽管我不一定相信你。"

埃里克笑着说:"我不怪你,尽管如此,如果不是我看见你在我面前,我很难相信你的存在,因为你的服装太古老了,像一个古代人。"

"我不明白你的意思。"官员说,"到我的营房来。"

他下令暂时把葛布拉关押起来,等待埃里克回来,然后领着埃里克向大门旁的一座塔楼走去。

大门的两侧各有一座塔楼,与土墙衔接处有一些防御工事。这种建筑早在埃里克学习罗马古代史时已经了解,现在却见到了实物。

官员的营房过于简单,可以说是一间单调、窄小而光秃的房间,直接连接一座守卫的大房间。官员这间小房间里只有一张桌子,一个凳子,一对粗制的椅子。

当他们进入房间以后,官员指着一把椅子让埃里克坐下,然后说:"告诉我一些关于你的事。如果你不是来自撒奎纳琉斯军团,你到底从何处来?你又是怎样进入我们国家的?你要来干什么?"

"我来自德意志。"埃里克回答说。

"呸!"官员叫起来,"德意志人是一群野蛮的土著人,而且他们也不说罗马话,比你蹩脚的罗马话更不如。"

"你最近接触到的德意志土著是什么时候?"

"哦,我?我从没接触过他们,但我们的历史学家知道他们,而且知道得很清楚。"

"历史学家最近写过什么有关他们的著作吗?"

"撒奎纳琉斯在自己的书里就提到过他们。"

"撒奎纳琉斯?"埃里克问道,"我想不起听说过有关他们的事。"

"撒奎纳琉斯于罗马839年与德意志野蛮人打过仗。"

"这大概是距今1837年以前,"埃里克提醒他说,"你得承认德意志已经比那时候进步多了!"

"为什么?我们的国家从撒奎纳琉斯的时代起就没什么变化,而他已经死了1800年了。罗马人都没有改变的话,野蛮人怎么可能有什么进步呢!你说你来自德意志,我想你或许是被俘虏到了罗马,从那里学习了文化。但是你的服装却很奇怪,罗马人不穿这样的衣服,我从没听说有地方穿成像你这样的。你继续讲你的故事吧。"

"我父亲是一个非洲的教会医生。"埃里克解释说,"我经常到他那里去,听说了一个关于失落部族的故事。这是一个白人部族,他们居住在威伦瓦兹山的深处,土人传说着许多关于他们的故事。他们说这座山里居住着他们死去的先祖的鬼魂。总之我是来调查这个故事的。我带的人除了刚才那个以外,都很害怕,在我们到达峡谷外面的山坡时,他们都逃走了。我们发现了这个大峡谷,当我们从山崖上下来以后,我们就被俘虏了,并被带到这里来。"

官员听完沉默了好一会儿,想了一阵说:"或者你说的都是事实。你的衣服和外表也不像撒奎纳琉斯军团的人,而你说话带有特殊的重音,显得非常吃力,显然这并不是你的母语。我会把你的真实情况汇报给皇帝,但是在这之前,我要领你去我叔叔家。他叫塞普蒂默斯·法沃尼乌斯。如果他相信你的故事,他会帮助你,他对瓦里图斯皇帝有相当的影响力。"

"你人挺不错。"埃里克说,"我在这里需要一个朋友,如果罗马帝国的习俗仍然在这里行得通,那么你了解我已经很多了。你是否也可以告诉我一些你的故事?"

"关于我,真的没什么可说的。"官员说,"我的名字叫马里乌斯·勒普斯。我只是瓦里图斯军队里的百夫长。如果你熟知罗马的习惯,你会奇怪为什么一个罗马贵族只在罗马军队中担任一个百夫长。但是就这件事来说,还有其他一些事,我们与罗马的习惯不尽相同。撒奎纳琉斯只允许他的百夫长都是贵族阶级,而从那时起经过了一千多年,在撒奎纳琉斯的军队里,只有贵族才能担任百夫长。"

这时正有一位官员走进屋里来。"这位是阿斯帕尔。"勒普斯大声说,"他来得正好,等他接管大门的时候,我就可以和你到我叔叔那里去了!"

七
威伦瓦兹山的妖魔

泰山惊讶地看着鲁可迪，想通过小屋低矮的门洞看看外面究竟发生了什么事，让这个年轻人如此恐惧。

从门洞里只能看得见外面街道的一小部分，褐色的身体围成一圈，晃动的长矛，以及吓坏了的妇女和孩子们，外面究竟发生了什么？

他看到巴格哥人正东奔西窜，到处躲藏。一些陌生的武士则在后面追捕，又过了一阵，村子里稍稍平静下来，只有匆忙的脚步声，时不时听到命令声和四处的惊呼。

正在这时，三个人闯进了小屋，是敌方的武士在搜索逃跑的人。鲁可迪吓得直发抖，说不出话来，爬伏在墙角边。泰山则坐着倚在房间中央的柱子上，脖子上仍戴着锁链。领头的来人看到他，脸上充满了惊讶的表情。另两人聚拢来，激动地商量了一小会儿，显然都是谈论的泰山。一人向泰山询问，但是人猿泰山听不懂他的语言，尽管他能感觉到这是一种曾经听到过而又模糊记得的语言，但他却无法理解。

他们中的一个发现了鲁可迪，穿过屋子把这个黑人拖了出去。接着他们又示意泰山出去，但是作为回答，泰山只能指了指挂在柱子上,另一头锁着他脖子的铁链。

一个武士过来看了看锁和链子,对他的同伴说了什么,然后就出去了。他回来时带回两块石头,然后让泰山躺在地上,把锁头放在一块石头上,用另块石头向锁头砸了去,没砸几下锁头就开了。

到了外面,泰山有机会更近地观察掳获他的人们。在村子中间有一百多肤色浅褐的战士,围着至少有五十对男女以及他们的孩子。

他们穿着束腰外衣,胸甲、头盔和凉鞋等。泰山虽然知道他以前从没有看见过这种装束,但是就像对他们说的语言一样,有一种说不清的,似曾相识的感觉。

他们手持重矛,而右侧腰间挂着短剑,这种矛和剑泰山以前都没有见过,但却并没有完全陌生的感觉。这时从村子另一头向他们走来一个白人,穿着比武士们更华丽、更讲究,泰山忽然发现他好像是从罗马恺撒雕像的基座上走下来的一样。这些人是罗马人!在罗马帝国衰亡后,他们又被这支罗马军团俘虏了。而他现在终于明白为什么他们的语言听起来好像很耳熟。原来泰山当初在努力学习融入文明社会中时,曾跟他的法国朋友学过拉丁文,也读过古罗马诗人的著作,但这并不能使他掌握这种语言,所以泰山既不会说也听不懂,只不过凭着自己的一知半解知道了他们是什么人而已。

泰山全神贯注地看着向他走来的恺撒一样的人,他感到一阵震动,这好像一场梦。然后他又看到鲁可迪和别的黑人俘虏,甚至那堆为他准备的干柴。每一个士兵都拿着一条锁链,锁链的一端是一个金属脖圈,这样就可以锁起一串串黑人来。向他走来的人大概是位长官,他后面跟着两个和他穿着差不多的人。他们三人都注意到了泰山,走近他向他问话。但是泰山只能摇头,表示他并不懂他们说的是什么意思。他们只好询问士兵,是谁发现了这个被锁的白人,最后那个长官作了些指示就走了。

泰山没有和所有的黑人锁在一起,也没有完全放开,而是由一个士兵单独拉住了他的锁链。

泰山只能相信这一优待是由于他的肤色。

一会儿,这群入侵者带着俘虏离开了村子。他们队列的最前面走着一位军官和十几个士兵,然后是一长串被俘获的黑人,手里都被强迫提着一只活鸡。接着则是士兵赶着的村民的牛群、羊群。队伍的最后,是一队相当数量的军团士兵。

这支队伍沿着威伦瓦兹山的山脚向北方前进,斜行穿过逐渐陡起的山坡。

泰山走在俘虏队伍的最后,在黑人俘虏队伍的尾端,泰山看到了鲁可迪。

整个队伍缓缓行进,泰山问:"鲁可迪,这是些什么人?"

"这就是威伦瓦兹山的妖魔。"这年轻的巴格哥回答说。

"他们是来阻止我们杀害他们的人的。"另一个黑人看着泰山说,"我知道我们这次灾祸完全是因此而起,幸好这些妖魔在我们杀死他以前就及时赶到。"

"那有什么区别?"另一个黑人插进来说,"我宁愿死在自己村子里,也比被带到妖魔的住地再杀死强。"

"你们没有想过,他们会不会压根就不想杀死我们呢?"泰山提醒说。

"他们是不会杀死你,因为你也是他们的一员。但是他们却要杀死巴格哥黑人,因为我们敢把你当俘虏。"

"但他不也是俘虏吗?"鲁可迪说,"你们没有看出来他甚至不懂他们的语言吗?"

另外的人也都摇头表示不相信,他们都肯定泰山是妖魔,而且相信他们这次逃不过被杀的命运。

又走了两个多小时,队伍突然急转向右,进入一条狭窄的峡谷。这里的入口处长了许多草木,从下面的山坡根本看不到这个入口。

峡谷越来越狭窄。两侧的石壁甚至窄到一个人平伸两手都可以摸到。地上铺着峡谷悬崖上掉下的石块。队伍在这条高高低低的路上,行进不得不慢了下来。

随着他们越来越深入到山区,峡谷的地面越来越向下倾斜,两侧的山崖也越来越高,以致峡谷内好似夜幕已经降临。

他们在幽暗的峡谷中弯曲前行,偶尔停下休息几分钟就又继续赶路。最终泰山看到大队穿过一道圆拱门,两侧是近百尺的高墙。

队伍的前方通向一片老橡树林,点缀着几株刺槐和雪松。这里有一些圆锥形的房屋,住着一些黑人,拿着像罗马军团一样的长矛和短剑。当值军官下令在此宿营。

土著黑人立刻欢天喜地地把他们的小屋让出来给士兵。士兵们可以任意取用住房内的东西,支使主人做这干那,主人反而露出恭顺的表情。

在这村子里,俘虏们都吃到一份包谷饼子和鱼干。他们就露天宿营,但允许他们捡些干柴来烤火取暖。尽管脖子上仍拴着脖锁,但是他们仍可聚在一起。

头顶的树枝上有许多小鸟,轻快地飞来飞去。也有不少猴子在树丛中窜来窜去,不断叽叽喳喳地尖叫。猴子对泰山来说并不陌生。这时忽然有一颗橡实落在泰山头上,这也并不稀奇,泰山也没在意,但接着又一颗、再一颗地接连不断地落下来,泰山不由得抬头看了一下,他看见一只小猴子正坐在一根树枝上向他扔橡实。

"啊,尼可玛!"他不由得叫起来,"你怎么到了这里?"

"我看到他们从村子里把你带走,所以我跟了来。"

"你怎么穿过峡谷的?"

"尼可玛害怕那里的石头会落下来,所以我从山顶上翻过来。山顶上山风吹得很冷,而且有许多狒狒在追尼可玛。当尼可玛走完山顶看到下面有一片树林,高兴极了。这是一片很高的山啊!就是尼可玛也觉得可怕!"

"尼可玛最好回家去。"泰山说,"这座树林里都是些陌生的猴子。"

"我不害怕。"尼可玛说,"他们只是些家养的小猴子,它们都怕尼可玛。这里对尼可玛不是个坏地方。这些人究竟要对人猿泰山做什么?"

"我不知道。"

"那么尼可玛可以回去叫伟万里和瓦齐里人来。"

"不!"泰山说,"等到我找到要找的人,然后你再回去通知伟万里。"

这天晚上泰山和别的俘虏睡在露天的硬地上。等到天黑以后尼可玛从树上下来,偎依在他主人的手臂内,在这里它幸福而温暖地在主人的怀里睡了一夜。

早晨到来,原来奥冈约也像别的村人一样做了俘虏,这时睁开眼看见村子里的武士们开始走动起来。他看到和他一样的俘虏都蜷缩在一起。在不远处那个曾被纳育托关在小屋里由他看守的白人却一个人躺着。这时忽然看见一个小脑袋从他臂弯里蹿了出来,迅速而敏捷地奔向附近的树丛消失了。

奥冈约大吃一惊,叫了一声,惊醒了他周围的人。

"什么事?奥冈约!"一个人问。

"我祖父的幽灵。"他惊叫道,"我又看见了他。他从那个白人,叫泰山的白人嘴里出来,泰山一定因为我们把他捉来而诅咒了我们,我们现在都变成了囚犯而且不久还会被杀了吃掉。"另一些人听了都点头肯定他的意见。

早上的食物还和昨天晚上的一样。当大家和军团武士们都吃完了以后,队伍又重新整顿好上路了。但这次却是沿着这条大土路向南走去。

直到过了中午,队伍一直缓慢地向南走去。没过多久,从树林中的缝隙就可以隐约看到一座城墙。这座城墙上面有城垛,有的地方还有木栅栏,城门两侧有高高矗立的两座塔楼,城墙的脚下有宽阔的城壕,里面有缓缓的流水。城壕的上面横跨一座大桥,大路从桥上通过。

队伍在城门口停了下来,官员与守门官员进行了商讨,军队与俘虏们成一线通过。入城以后,他们沿着大街前进。大街上有黑褐色皮肤的人,大部分都穿着束腰上衣和斗篷,一些黑人穿着很少,近似赤裸。之后他们终于遇到了白人,按人口比例他们相当少。

队伍经过的马路上,都有人驻足观看。小孩子随着队伍继续围观。

人猿泰山看得出来,正是他自己吸引了许多人的注意力,不少人对他品头论足,进行着推测和争辩。也有一些人直接叫住了军士询问,所得到的回答多半是句玩笑,他们多半就此插科打诨一阵。

经过在城里这一段穿行中的观察,泰山得出了以下的结论:黑人居民多半是仆人甚至奴隶,褐色人或是军士或是商店主人,白人则组成了贵族。

整个队伍完全进入城市以后,接近了一座由方方正正的大理石砌成的圆形大厦。圆形拱洞装修精美,一层层砌上去高四十至五十尺,所有拱洞中空,极像古罗马的圆形剧场。

从这里他们穿过一道道走廊进入下层的一排排土牢。屋门都开在走廊的一侧。四五人一间,脖圈被摘掉。

泰山和鲁可迪还有另两个巴格哥人被锁进一间土牢。唯一的出路是一座有隔栅的屋门,屋子背后的小窗也有隔栅,可以透进光线和空气。屋门在他们进来之后被挂锁锁住,留在里面不知命运将会如何?

八
法沃尼乌斯叔叔

勒普斯领着埃里克从梅里军团城南门走出,并且吩咐一个士兵去找葛布拉。

"你得作为我的客人和我一块去,埃里克。"勒普斯宣布,"看在上帝的份上,除非我错了,我叔叔法沃尼乌斯一定会感谢我给他带来这样一个发现。他一直等待着新奇的事物,他消耗光梅里军团的一切帮助只找到一个西部丛林的黑人头领,后来他只能邀请梅里军团的贵族们去看一只大猿。"

"如果他们能会见一位未开化的日耳曼头人,我看他们会高兴得发疯的。你一定是位头人吧?"埃里克正要回答,勒普斯用一个手势止住了他:"没关系!我可以先这么介绍你,这还不至于被控欺诈。"

埃里克听了不由得笑起来。人类的天性究竟都非常相似,不论过去还是现在。

"啊!这就是你那位贴身奴仆吧!"勒普斯指着被带来的葛布拉说。

"是的,"埃里克说,"葛布拉很诚实能干,我不愿意和他分开。"

勒普斯领着他们到城墙下一长排依墙而建的棚屋前面。这里有两台轿子,以及几个身体健壮的轿夫。当勒普斯一出现,有八个人一下子就站起来,把轿子抬到勒普斯面前。

"那么告诉我,你如果最近到过罗马,像我这样的轿子会讨那些贵族喜欢吗?"勒普斯问道。

"现在有了很大的改变……勒普斯,如果我告诉您,情况有很大的改变,我怕您会对我说的不大相信。"

"但是肯定地说来,轿子的形式是不会改变的,"勒普斯争辩说,"我不能想象贵族已经不用它了。"

"他们的轿子现在下面装了轮子了!"埃里克说。

"不可思议!"勒普斯喊起来,"它会在不平的铺石路面上颠簸撞坏的,就像牛车的轮子在乡村石铺路面被撞坏一样。我怕无法相信你的这个故事。"

"城市现在的路面要平多了,就是在乡下也有许多道路是交叉错综的。在那上面现代的轿子都装上了小的有皮胎的软轮子,没有再用木轮子的牛车了。你得了解这一点,勒普斯。"

"我保证,埃里克,在罗马没有轿子能超过现在这几个轿夫的速度。"他吹嘘说。

"他们究竟有多快?"埃里克问道。

"大约每小时会超过八千五百步。"勒普斯回答说。

"就算一小时五万步,对于一个有轮子的轿子来说已经不算什么了。"埃里克说道,"我们现在叫它汽车。"

"你们正在取得巨大的成功!"勒普斯叫道,一面拍着埃里克背说,"我的朱庇特啊,我叔父的客人们一定会说我完成了一大发现。你要是告诉他们今天罗马的轿夫每小时可以完成五万步,他们会把你当成喜剧演员的。"

埃里克听了开心地大笑起来:"但是你得承认,我的朋友,我从来没有说轿夫能每小时跑五万步。"

"你不是说轿子能跑这么快吗?如果一顶轿子能跑这么快,除非它是马拉的。就是马拉的,每小时也够呛能跑五万步吧?"

"现在的轿子既不是由人抬着,也不是由马拉的。勒普斯。"埃里克说。

官员听了靠在马车的靠垫上笑得前俯后仰地说:"那么是飞了,我猜。"他开玩笑地说:"看在神灵的份上,你到了我叔叔家必须把这一切都讲给他听,我相信他会更喜欢你的!"

这时他们经过一条林荫道,路两旁都是古老的大树。路上没有铺石路面,却有很深的土层。房屋都建得高出路面不少。两座房屋之间有高墙相连,每座大门都有拱形门洞。临街的窗子没有玻璃但有粗壮的栅栏。

"这是住宅吗?"埃里克指着他们经过的这些房屋问道。

"是的。"

"从这些笨重的大门和加了栏杆的窗子判断,你们城市里的偷盗犯罪大概不少。"埃里克评论说。

勒普斯摇头说:"正好相反,我们梅里军团的领地里这类犯罪是很少的。你所看到的这类措施是预防奴隶造反和野蛮人入侵的。自从这座城市建成以来,这类事发生过几次。尽管如此,我们的大门现在实际上都不上锁,因这里没有贼,也没有什么人的生命会受到盗贼的威胁。如果一个人对别人做了错事,他也许会遭到报复和攻击；如果没有，那他大可心安理得地生活。"

"我无法想象一个城市会没有偷窃，"埃里克说，"您能解释一下吗？"

"这很简单，"勒普斯回答道，"罗马历953年，欧努斯·哈斯塔起义后建立了梅里城，鉴于原来西部撒奎纳琉斯军团地区各种犯罪十分泛滥，到了晚上几乎没有人敢上街，即使出门也得有保镖陪送，就连家里也不安全。欧努斯·哈斯塔是东部梅里的第一个皇帝，发誓要在这座新城消灭犯罪。他制定了严厉的法律，使偷盗和杀人犯无法生存和蔓延。欧努斯·哈斯塔消灭的不仅是罪犯一个人，而是他所有的家庭成员，这样就消灭了向后代传送犯罪意识与倾向的基因。

"尽管当时许多人认为欧努斯·哈斯塔过于严酷，但是时间表明他的许多法令还是英明的。我们今天许多免于罪犯威胁的自由，都要归功于欧努斯·哈斯塔的严刑峻法。因为犯罪极少，所以现在当一个人犯罪，全城会放假一天，都去观看罪犯一家的死刑。"

说话间他们进入一条更加豪华的大街。轿子就停在一座大门前。勒普斯和埃里克都走下轿来。勒普斯上前叫门后，一个奴仆打开了大门。埃里克随着勒普斯穿过一进铺砖的院落，进入一个花园。一棵大树的树荫下，一位身体强壮的老人正坐在一张矮桌子前写东西。他用一支芦根笔，蘸着一个罗马墨水瓶里的墨水，在一卷牛皮纸上写着什么。埃里克注意到这一切，仿佛都与一千年前的情形没有什么两样。

"您好！叔父！"勒普斯叫道，老人转身看到了他们。

"我给您带来一位客人,他不是我们梅里军团的公民,而是自建城以来从未接待过的一位蛮族头人,来自日耳曼。"他又转向埃里克介绍,"这是我尊敬的叔父,法沃尼乌斯。"

法沃尼乌斯站起来向埃里克表示了欢迎,但不失一位罗马公民的尊严,就好像尽管客人是一位蛮族头人,但也与罗马公民不可相提并论似的。

然后,勒普斯简短地讲述了他与埃里克相遇的经过。法沃尼乌斯对侄子的邀请大加赞赏。接着这位老人建议勒普斯领客人去另外的房间,换掉他们一路上落满尘土的衣服。

一个小时以后,埃里克修了面,换了外衣。现在他已经完全像一个罗马贵族了。他容光焕发地穿着勒普斯的服装,一派意气风发的样子。

勒普斯招呼他:"请先到花园里去看看吧!等我换好衣服我也到那里去找你。"

在埃里克穿过法沃尼乌斯的庭院到花园去的路上,他被这里融合着多种文化风格的建筑和装饰深深打动。

建筑物的墙和廊柱有明显的希腊风格,而地上铺的小地毯和壁挂装饰则明显带有东方色彩,混杂着非洲蛮族的格调。所有这些都让埃里克产生一种感觉,这里所谓失落部族的人几乎和更遥远的外界并没有什么接触,他们反而与附近居住的巴格哥人有更多的文化交流。在花园的远端,甚至可以看到有一座夏季小屋,它的墙壁没有经过涂抹,只用草遮挡,十足就是一间巴格哥小屋。

法沃尼乌斯已经离开了花园,埃里克就更可以细致地审视周围的环境。花园里有一条碎石铺的小路,路两旁有花草和小灌木丛地夹道生长。也时有一两棵老树点缀其间,说明这小路与花园年代久远。

此时,埃里克的心思,眼睛和想象都完全被周围的景物所吸引。他随着路旁一蓬灌木丛刚转过一个弯,迎面逢上一位年轻的女士。

她显然也大吃一惊,从她脸上的表情就可以看出来,她睁大了眼睛,吃惊地看着埃里克,就在这一刻他们俩都彼此愣在了这拐角的路上。还是女士打破了这尴尬的局面,开口问道:"你是谁?"声音轻柔而细微,就好像在埃里克面前突然出现了一位美丽的幽灵。

"我是这里一位新来的访客。"埃里克回答说,"我很抱歉闯入你的私人禁地,我以为花园里只有我一个人呢!"

"那么你是谁?"女士又追问道,"我从来没有见过你,或者面貌和你相似的人。"

"我也一样,"埃里克说,"从来没有见过像您这样的小姐。或者我在梦中,或者您在现实世界中并不存在,简直令人难以相信在现实中有您这样美丽的人。"

女士微微有些脸红地说:"你不是梅里军团的人,我没有见过你这样的人。"她声音稍带冷漠,也有点傲慢。

"我冒犯了您。"埃里克说,"请您原谅,我不是有意冒犯您,但是真是出乎意料,把我的呼吸都带走了。"

"也带走了你的礼貌吗?"女子问道,眉眼微微有些笑意。

"您原谅我了?"埃里克问道。

"在我原谅您之前,请你告诉我,你究竟是谁?为什么在这里?我猜你大概是一个蛮人或者敌人。"

埃里克不由得笑起来说:"是勒普斯邀请我到这儿来的,坚持说我是个蛮人。尽管如此,我仍是法沃尼乌斯——勒普斯叔父的客人。"

女士听了,耸耸肩说:"我倒不奇怪了,我父亲常因为他那些'贵客'而被笑话。"

"那么您是法沃尼乌斯家的小姐了?"

"是的,我是法沃尼娅。"女子回答,"但是你还没有告诉我你是谁,我命令你告诉我。"她傲慢地说。

"我是日耳曼的埃里克·冯·哈本。"年轻人回答说。

"日耳曼人!"女士惊叫起来,"恺撒写到过日耳曼,撒奎纳琉斯也写到过,似乎在很远的地方。"

"现在,它已经不是那么远了。"埃里克说道,"三千公里距离现在说起来似乎要比几个世纪的间隔短得多。"他说了一句颇含哲理的话。

"我没法明白你的意思。"女孩皱起眉头说。

"我不是故意为难您。"埃里克说。

"你肯定是位头人,是吗?"她说。

埃里克并没有否认女孩的这种奉承。因为从已经接触的三位男女贵族看来,蛮族人的地位在梅里军团中是存有疑问的,除非他同时有一个高贵的头衔。他们大概不愿意相信蛮族从恺撒时代到二十世纪已经有了巨大的改变。埃里克意识到自己有一种要在这位漂亮的古代女孩面前好好表现的愿望。

"法沃尼娅!"埃里克几乎喊道,他为这美丽的名字而窒息。

女孩抬起头来疑问地看着他说:"是的。"

"这真是一个可爱的名字。"他说,"我以前从未听人说起过。"

"你喜欢吗?"她问。

"当然,非常喜欢。"

女孩听了皱起眉头。她有一对漂亮的蛾眉和一副充满智慧的前额。她的眼睛、态度和她的语言都无法掩饰她的聪慧。"我很高兴你喜欢我的名字,但这一丝喜欢有些莫名其妙。你说你是一个蛮人,但是你并不像一个蛮人。你的外表和礼仪都更像一位罗马贵族。尽管你对一位陌生的女士似乎有点大胆,但是我以为这可能是因为蛮族人的无知,所以我原谅你。"

"这也是对一个蛮人的补偿吧!"埃里克听了不由得大笑起来,"或许我是一个蛮人,我希望你能原谅我的鲁莽,我说你是我见过的最美丽的女人而且是唯一我能……"说到这里他不由得迟疑起来。

"你能什么?"她追问道。

"无论如何一个蛮人是不敢说的,而我和你认识不过十分钟,我就敢说出来了。"

这时忽然一个带有讽刺意味的话语插进来说道:"不管你是谁,你表现出少有的鉴赏力。"话语突然来自后面一个男人,使得埃里克立刻转身向他。

女孩也吃惊地抬头看见了他。来人是一个个子不高,面色黝黑油光的年轻人,上身穿一件精美的束腰上衣,一只手放在挂在腰间的一支短剑的柄上。新来者的脸上挂着一副讽刺冷笑的表情。

"你的这位蛮族朋友是谁,法沃尼娅?"

"这是埃里克·冯·哈本,我父亲法沃尼乌斯的客人。"说着她转向埃里克,"这是弗尔伍斯·福浦斯,是我们家的常客,所以爱对其他客人不时地品头论足。"

福浦斯的脸不由得红起来。"抱歉。"他说,"我想,没人知道何时应该尊重又何时可以向法沃尼乌斯的客人开玩笑。如果我记得不错,他上一个客人还是只猿猴。在此之前他还接待过一个外面村庄的蛮人。他们都很有趣,所以我想这位埃里克·冯·哈本也可以证明他不会是个例外。"

这人嘲讽的语气惹人憎恶,埃里克止不住地怒火上升。

幸而这时勒普斯及时出现,埃里克才正式被介绍给法沃尼娅。福浦斯对埃里克也不再注意,而把他的时间都用来讨好法沃尼娅。埃里克从他们的谈话所用的友好和亲密的词汇,知道福浦斯大概是爱上了法沃尼娅。只是从态度上无法确定那女孩是否会回报他的爱慕之情。

这里却有一点是肯定的,那就是埃里克真的是爱上了法沃尼娅。在他过去的生活中,他曾以为他陷入爱河,但是他的感觉、举止都与他这时对法沃尼娅的不同。他讨厌这个认识不到一刻钟的福浦斯。福浦斯表现出的傲慢自大和挖苦讽刺,对一个身心健康的人还不足以使他顿起杀机,但是埃里克却按捺不住把手指摸到他的连发手枪上。他的这一武器是和他的匕首一道从勒普斯那里坚持要回来的。

一会儿，法沃尼乌斯也来了，他建议大家一道去洗澡并游泳。这时勒普斯小声告诉埃里克,他叔叔正是要趁此机会展示他的新发现。

"他会带我们去凯撒浴场,"勒普斯说,"一个只有富裕的贵族才能去的地方。所以你要准备几个好故事,但要留下一个最好的,就像你告诉我的关于现代罗马的轿子,等吃正餐时再说。他今天肯定会留我们吃正餐的,那时会有梅里军团的要人出席,没准连皇帝也会来。"

凯撒浴场是在一座壮丽高大的建筑里。埃里克看出,在这里法沃尼乌斯,以及他的女儿和侄子都很受欢迎,但福浦斯却受到了冷漠。

侍从引导顾客们进入到更衣室。男女更衣室是在建筑的不同部位。

脱了衣服以后,埃里克按照这里的习惯在身体上涂了精油。然后他被引到一个有大游泳池的地方。游泳池里有男也有女。游泳池的四周有磨光的大理石台阶,可以坐下数百看客。

当埃里克心想着能在这凉快而清澈的池水中畅游一番时,他更感兴趣的是又能与法沃尼娅一起了。埃里克走进泳池时已经看到她正缓缓绕池游行。这时埃里克站在池边,纵身而起做了一个漂亮的入水动作,接着几下划行他已经来到法沃尼娅的身边。埃里克的动作迅速而敏捷,优美而熟练。这时池边观众的低声私语和赞叹在埃里克耳中置若罔闻,因为他并不知道在梅里军团中谁也没见识过跳水这种体育技巧。

福浦斯在埃里克之后进入水池,他不仅看见了埃里克优美的入水动作而且也听到了周围的称赞。尽管他从来没有做过,也没有见过,但他认为这非常简单易行。因此,他决定立刻也向观看的贵族先生们展示一下,特别是向法沃尼娅表现,他也能漂亮地掌握这种体育技巧,甚至要比那个蛮人更好更简练。

于是他屏住了气,控制住自己的步伐跑到池边,拼命用力跳得老高,但是还没等他斜转身子,整个人已经平跌进水里,只听得啪的一声,胸腹平拍在水面上,水花四溅,浪花向周围散去。

他出了这么个丑,喝了几口水,只好费力地游到池边。等他爬上池边,四周观看的人窃笑,让福浦斯不知不觉中来了个大红脸,他不由得觉得无地自容起来,特别是当他看见前面就站着埃里克。他立刻转身向更衣室走去,到了那里他换上了他的长袍。

"现在就准备走吗?福浦斯。"一个年轻的贵族一面脱去自己的长袍一面问。

"是的。"福浦斯咕噜着说。

"我听说你是和法沃尼乌斯还有他的新发现一道来的。他什么来路?"

"听好!卡希利乌斯·麦塔卢斯。"福浦斯说,"这个人自称埃里克·冯·哈本,是日尔曼的头人,但我却不相信。"

"那你相信什么?"麦塔卢斯很有礼貌地问道。尽管他看起来对此并不是非常感兴趣。

福浦斯向前凑了两步小声说:"我认为他是一个撒奎纳琉斯军团的密探,假装蛮族人。"

"但是大家都说他的罗马话说得很不好。"麦塔卢斯疑惑地说。

"他说得和我们一样好,只是他要装得他不懂我们的有些话罢了。"

麦塔卢斯摇着他的头说:"法沃尼乌斯不是傻子,我不相信撒奎纳琉斯军团的密探有足够的聪明能混过这位老人的眼睛。"

"我们这里只有一个人有权去判断这件事。"福浦斯打断了他的话。

"谁?"

"瓦里图斯·奥古斯都,我们东方的皇帝——我立刻就去见他。"

"不要傻了,福浦斯!"麦塔卢斯忠告他说,"你只会受到嘲笑,或者更糟。难道你不知道法沃尼乌斯受到皇帝的尊重吗?"

"可能吧!但是大家也知道他曾是卡修斯·哈斯塔的朋友,卡修斯虽是皇帝的侄子,但仍因为叛国罪被放逐。所以不用花多少力气就能说服皇帝,这个埃里克·冯·哈本就是卡修斯的使者,而且他在撒奎纳琉斯军团是很出名的。"

麦塔卢斯不由得大笑起来说:"那么现在就去吧!去当一回大傻瓜吧!弄不好会有一根绳子等着你。"

"这件事会以绳子来解决,"福浦斯说,"但是挂在绳子那一头的将是埃里克,而不是我。"

九
逃出皇宫

当夜幕降临到撒奎纳琉斯城时,罗马圆形大剧场地下的花岗岩小牢房,也越发阴暗起来。只有从墙上部装有栏杆的小窗孔里,才能看到天空。

泰山蹲坐在粗石地面上,背靠后墙,从小窗户看到外面天上的星光在极缓慢地移动。任何野生生物被关在笼子里都会难以忍受,人猿泰山比它们更难以忍受。他比斯多葛派的苦行僧忍受着更多的思想折磨。他像一头狮子在笼子里走来走去,寻找逃出牢笼的机会。

泰山的思绪像一头以脚步不断地度量牢狱围墙的猛兽,一刻不停地思考逃出去的办法。

鲁可迪和别的难友睡了。泰山听到一种轻微的声音从竞技场那里传来,竞技场的地面几乎和小牢房的窗户齐平。有什么东西偷偷地、小心地在竞技场的沙地上移动。此刻,小窗上以天空为背景,出现了一个泰山熟悉的身影,泰山看着它不由得脸上露出了微笑,低得别人几乎听不见地说了句什么,接着尼可玛就从窗棂的铁柱间挤了进来。它肌肉发达的长手臂一下子紧紧地搂住了泰山的脖子,依偎到他的怀里。

"和我一块回家吧！"尼可玛恳求说，"为什么要待在又黑又冷的小洞里？"

"你没有看见过那个曾经关过金毛狮子的笼子吗？"泰山问道。

"看见过。"尼可玛说。

"金毛狮子出不去，除非我们打开笼门。"

"那么我去叫伟万里和他的武士来，带上他们的尖棒。"尼可玛说，"他们来会把你弄出去。"

"不！尼可玛。"泰山说，"如果我自己不能想法出去，伟万里更不能放我出去，况且这里的人比伟万里能带来的人多得多，瓦齐里人必定寡不敌众。"

不多会儿，泰山就睡了。等早晨泰山醒来，尼可玛不知什么时候已经走了。

清晨过去，天已大亮。士兵打开了门锁和牢门，进来几个人，其中一个年轻的白人官员带来一个黑奴。他让奴隶对泰山说巴格哥话，泰山点头表示能听懂。白人官员通过奴隶向泰山问道："你是谁？你一个白人跑到黑人的村子里干什么？"

"我是人猿泰山，"这白人囚徒说，"我正寻找一个白人，他在威伦瓦兹山里失踪了。我在山崖上滑倒失去知觉，巴格哥人把我囚禁了起来。当你的士兵袭击巴格哥村时，把我也当成囚徒了。我想你应该放了我"。

"为什么？"官员问道，"那你是一位罗马公民吗？"

"当然不是。"泰山说，"这有什么关系？"

"因为如果你不是一位罗马公民，那么你很可能是一个敌人,我们怎么知道你不是从梅里军团来的呢?"

泰山无可奈何地耸了耸肩说:"我不知道,什么是梅里军团?"

"这是你必须说清楚的,你别想欺骗我们。"官员说,"你装着不懂或不会说我们的话,但是你会发现欺骗我们是不容易的。你别像梅里军团的人,以为我们都是傻瓜。"

"梅里军团在哪儿?他们是什么人?"泰山问道。

军官听了笑起来说:"你真狡猾。"

"我向你保证。"泰山说,"我不想欺骗你,请你相信我一回,请回答我的问题。"

"你想问什么?"

"有没有过一个白人,最近几周来过你的国家?我就是来找他的。"

"自从撒奎纳琉斯领导第十军团第十三步兵队于1823年征服了当地的蛮族人起,"官员回答说,"就没有白人来过我们国家。"

"如果有陌生人到你们国家来你会知道吗?"泰山问道。

"如果他进入的是撒奎纳琉斯城的话,我们就会知道。"官员回答说,"但是如果进入峡谷东面的梅里军团,我就不知道了。不过,我来不是回答你的问题,我要领你去见一个人。"

同来的士兵领着泰山走出牢门,沿走廊经过他昨天进来的路到了街上。他们穿过城里的街道走了约一公里,来到一处壮丽的建筑前面。入口处驻扎着一队守卫,他们的胸甲和头盔在泰山看来就是黄金制成的,他们的佩刀刀把和刀鞘上的金属都巧妙地镶嵌着彩色的宝石。比这些华丽的外表更为亮眼的是他们身披的猩红色斗篷,精美的胸甲、头盔和服饰都说明这是一队精悍的兵勇。

这座宫殿一般的建筑只有官员、泰山和黑人翻译被允许入内,随来的士兵全部被换成了这里身披华饰的卫兵,引导他们进入宫殿。

泰山被引进内堂,里面是一间长方形的大厅,两侧均有堂皇的立柱。远处的尽头,有一位体态高大的人,坐在高台上的一把大雕花椅子上。

这里还有许多其他的人,他们衣着华丽,身披斗篷,内穿各色束腰上衣,华丽的皮革或金属的胸甲,另有一些人只穿白色罩袍。奴隶、信使或官员不断进出这个房间。泰山一堆人退到柱子边等待传召。

"这是什么地方?"泰山问巴格哥翻译,"那个在远处坐在台上的人又是谁?"

"这是皇宫大殿,坐在上面那个人就是这里的皇帝苏布拉图斯。"

有好一阵子泰山饶有兴趣地观察着。他看到各个阶层的人,接近宝座与皇帝谈话,虽然听不懂,但他判断他们都说着取悦和赞颂皇帝的话。这里有贵族,褐色皮肤的商人,穿着自己民族服装的蛮族人,还有奴隶。

皇帝苏布拉图斯是位仪表堂堂的人物。穿一件白麻布的束腰上衣,着金碧辉煌的胸甲,凉鞋用的是金扣子。从肩上垂下一件紫色长披,亚麻布上有刺绣的束发带,压在他的眼眉以上,这大概是他身份的标记。

在皇帝身后有一排士兵，手持各种旗子，它究竟表示什么意思，泰山有点猜不透，是战利品或是奖旗。再后面的柱子上有银制鹰的雕像，屋里墙上还有许多壁画，多是关于战争的图景。一切都是一派威武庄严的气氛。

这时走来一位官员，他对引导泰山的官员说："你是马克西姆吗？"

"是的。"官员回答说。

"那么现在该你了。"

当泰山进入大殿，一小队士兵紧围着他前进，大殿里的所有人都开始注意他。这里集中了衣着华丽的朝臣和士兵。泰山除了只着缠腰布和一条豹皮围裙、体格高大之外，他被太阳晒过的皮肤，浓密的黑发和灰色的眼珠在这一群人里并不突出。泰山缓步走上大殿，甚至使骄傲的苏布拉图斯皇帝都感受到他兽中之王的野性力量。皇帝不由得身体前倾，抬手招呼他们一行。

这队人走近宝座，泰山不等皇帝发问，转身对巴格哥人翻译说："问一问苏布拉图斯，为什么他把我当作囚犯？告诉他我要求他立刻放开我。"

那翻译胆怯不敢说。泰山又催促他："照我说的问。"

这时苏布拉图斯问翻译："他说什么？"

翻译说："我害怕重复他对皇帝陛下说的话。"

苏布拉图斯说："我命令你说。"

"他问为什么把他当囚犯，要求立刻把他释放。"

"问他是谁？"苏布拉图斯生气了，"敢向皇帝发令！"

"告诉他,"泰山听了翻译后说,"我是人猿泰山,如果这个名字在他听来不算什么,那么他的名字在我听来也不算什么。我,在我自己的国土上,也会像他一样发号施令。"

苏布拉图斯听了翻译的话不由大怒,气得颤抖说:"把这个粗野无礼的狗拉走!"

士兵上来想拉出泰山,泰山甩开他们:"告诉他,就像一个人对另一个人一样,我要求他回答我的问题。告诉他,我来不是与他为敌,而是要与他为友。我要求他像对有身份的人那样对待我。"

苏布拉图斯听了以后,皇帝的脸气得像他穿着紫色斗篷一样紫了。

"把他拉走!"他尖叫道,"把他拉走,叫卫兵来,把马克西姆也锁起来,谁叫他领这样一个无礼的囚犯来见我。"

于是左右上来两个士兵正要拉他出去,这时泰山反手抓住他们的手臂,用力向里一挥,两颗头正好互相撞在一起,立时松开了抓泰山的手,昏死过去。泰山像猫一样敏捷地蹿上皇帝的高台。他的动作是如此敏捷快速,没有一个人能赶上他。

只见泰山一把抓住皇帝的肩膀,把他从宝座上举起来,反手掐住了他的脖颈,另一只手托起他的臀部像抓住一个盾牌一样用他的身体挡住了士兵的尖矛。士兵都不敢上前,怕刺伤他们的皇帝。

"告诉他们!"泰山对翻译说,"如果有人在我到达大街以前想阻止我,我会扭断皇帝的脖子。告诉皇帝,让他叫士兵向后退。如果他照我说的做,等出了皇宫我会放开他。如果他不听话,那

泰山一把抓住皇帝,把他从宝座上举起来。

人猿泰山·失落的帝国　　069

么他肯定会有危险。"

这些信息传给了苏布拉图斯以后,他停止了让士兵攻击泰山的号叫,警告他们一定要让泰山平安地离开皇宫。

泰山头顶上举着皇帝,黑人翻译按泰山的命令走在前面。所有宫廷卫士都按照皇帝的命令向后退,而且转过身去免得看见皇帝的狼狈相。

穿过长长的走廊到达外院。被泰山顶在头上的苏布拉图斯不断发出给泰山让路的命令。这时他颤抖的声音混杂着复杂的感情,有恐惧也有屈辱的怒气。从抓着他肩膀的手上,皇帝已经感觉到这个野蛮白人的力气非同一般。

那些穿着紫色斗篷的卫士不断后退而且满口嘟囔着怨言,他们的眼里要冒出火来,嘴里充满了小声的责骂和不满,他们觉得他们的皇帝这样退让简直丢脸。他毕竟是帝国的化身和政府权力的代表,却一再退让。而那个半裸的野人竟顶着他们的皇帝大摇大摆地穿过宫廷,走出大门安全地来到夹道树荫的大街上。

撒奎纳琉斯军团的城市是从峡谷西部的原始丛林里切割而成,所以这里仍然到处都是高大的绿荫覆盖的树丛,街道两旁更是古树成荫。

泰山顶着皇帝走到大街上,停下来,放下了皇帝。当他转身向皇宫观看时,他看到士兵们挤到皇宫大门外的街道上。

泰山已经注意到许多士兵手里都拿好了标枪。只要他一放开皇帝,他就会成为这些投枪集中的目标。"告诉他们,"泰山对翻译说,"回到宫廷的院子里,然后等待我放了他们的皇帝再出来。"

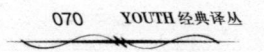

翻译把泰山这最后通牒传达给守在宫门外的兵士，他们还在犹豫，但苏布拉图斯却命令他们坚决执行，他知道除非他和士兵们都听从这个野蛮白人的命令，而且一丝不苟地去执行，他才能平安地回到皇宫。果然，他的士兵都回到皇宫大门里，泰山放开了皇帝。当苏布拉图斯向皇宫跑过去时，他的士兵们一下子涌上了大街。

就在这时，士兵们看到他们的猎物目标转身紧跑几步，纵身跳起，向上一蹿竟然消失在老橡树浓密的树叶之间。这时已经有十来支标枪向那里投去，不是纷纷落地就是夹在树枝上，没有一支投中。

苏布拉图斯这时也转身向追过去的士兵高喊："快！捉住他，赏一千第纳尔金币！"

"他在那儿！"一个士兵指着一个方向高喊。

"不！他在那！"另一个士兵指着相反的方向喊道，"我看见他，那里树叶在动！"

事实上，泰山却是沿着大道一侧的树木，飞快地向前滑去。早就跑出士兵们的视野之外了。然后，他跳上一座较低的屋顶，穿过它又跳上另一棵大树。在这里他停了一小会儿，静听有没有追赶的声音，然后影子一样无声无息地向前蹿去，最后停在一座花园的大树上。

树下有一对男女，很显然男方在向女方求爱。泰山用不着听懂他们的语言就能看出女人的态度是在躲避男人。男人热切地恳求，女人却极度冷淡。从侧面可以看出女人美丽清秀，而求爱的男人却长着一副难看的老鼠脸。

泰山时不时地听到大街上吵嚷追逐他的声音，时不时看看树下。

女人的拒绝使男人发出愤怒的声音。最后女子站起来，傲慢地说了几句冷淡的话，转身离开长凳，男人却从长凳一端跳起来，追上去拉住她，用一只手捂住她的嘴，一只手抱住她腰往怀里拉。

这一切泰山都看在眼里。这城市里的女子与纳育托村子里的女子对泰山都是一样，与泰山毫无关系。泰山是个冲动的人，他发现自己根本就不喜欢那个贼眉鼠眼的男人，特别他的行径更让他感到厌恶。

这时男子正迫使女子再坐回长凳，意图强吻。突然旁边发出一声刺耳的响声，他回头看时，不由得吃了一惊。这是一个半裸的高大男子，他铁青色的眼睛正瞪着他那一双鼠目，一只粗壮有力的大手正抓住他束腰上衣的领子，他不由自主地被甩到一边，接着大汉扶起女子。

这个叫法斯图斯的人惊怒交加，从背后向泰山连劈三刀。泰山敏捷地一一躲了开去。趁他再次劈来时，泰山一把抓住法斯图斯的手一扭，钢刀当啷一声掉到了地上。

法斯图斯从来没有见过动作这样灵活的人，正自心惊，就在这时，两个白人和一个黑人闯进了花园。白人带着刀，黑人带一把长剑。

他们看到泰山站在法斯图斯和女孩中间，法斯图斯手被捉住，手中钢刀陡然落地，自然以为高大的泰山袭击女孩，而法斯图斯意图援救。

泰山看到他们向自己跑来,盘算着自己要以一敌三,决定用法斯图斯做盾牌。泰山攥着法斯图斯的一只手,随时作好迎战的准备。

这时,女孩站了出来,向三个来人说明了情况。说罢,女孩开始转向泰山,但是泰山一面听一面摇头,他无法听懂女孩的话。突然他看到了那个黑人,灵机一动,用黑人部族的语言问黑人:"你是巴格哥人吗?"

黑人立刻吃惊地看着泰山说:"是的!但你又是谁?"

"那么你能说他们听得懂的语言吗?"泰山指着女孩问道。

"当然能!"黑人回答,"我曾经是这里的一个俘虏,在他们中间待了许多年。这里有很多我这样的黑人,当我们在一起时仍然说自己的母语。"

"好得很!"泰山说,"那么我能通过你知道这位女士对我说了什么吗?"

"她想知道你是谁,从哪里来,为什么要保护她。你是怎么来到这里的,你又是怎么正赶上保护她,不受法斯图斯的欺侮?"

泰山举起手说:"一个问题一个问题地来。"接着说,"告诉她我是人猿泰山,一个来自遥远地方的陌生人,我来这里是友好的,是为了寻找一个走失的朋友。"

正在这时,外面有人嘭嘭地打门,而且高叫开门。

"去看看是什么事,阿速奇。"女孩对一个奴隶说,奴隶立刻转身按吩咐走了出去,女孩继续和泰山通过那个黑人翻译交谈。

"你当得起狄莉克塔的感激。"女孩说,"你会得到我父亲的报答的。"

正在这时阿速奇领回来一位官员。当这位官员的目光落到泰山身上时,他不由得惊讶地张大了眼睛,跳开数步,直觉地按住了佩刀的刀柄。泰山认得他就是马克西姆——那个从大剧场的土牢里把他领到皇宫的那位官员。

"把你的手从刀把上拿开,马克西姆。"女孩说,"这个人绝不是敌人。"

"你能确定吗,狄莉克塔?"马克西姆问道,"你怎么认识他?"

"我认识他,因为那头猪要欺侮我的时候,他正好赶上来救了我。"那女孩高傲地狠狠瞪了一眼法斯图斯。

"我不明白。"马克西姆说,"这是一个蛮族战俘,他自称叫泰山,而且今天早晨就是我遵照皇帝的命令把他从大剧场带到皇宫,因为有人说他是梅里军团的密探,皇帝要见他。"

"如果他是一个囚犯或俘虏,那么他来这里做什么?"女孩问道,"而你又来做什么?"

"这个人在见到苏布拉图斯皇帝后攻击了皇帝,然后从皇宫逃跑了。现在全城都在搜捕他,我正带这一小队人负责搜查这一带,怕这个野人会加害于你。"

"倒是这个贵族法斯图斯,皇帝的儿子,他要伤害我。"女孩说,"而这个野人他来救了我。"

马克西姆很快看了法斯图斯——苏布拉图斯的儿子一眼,然后又看了看泰山。这个年轻的官员显示出有点进退两难。

"这是你要找的人,"法斯图斯用看笑话的口吻说,"把他弄回土牢里去吧。"

"我马克西姆不会听命于法斯图斯。"年轻人回敬道,"我知道自己的职责,用不着别人来指挥。"

"你要捉走这个保护过我的人吗?"狄莉克塔问。

"我没有选择,"马克西姆说,"这是我的责任。"

"那么就干吧!"法斯图斯嘲讽地说。

马克西姆脸都气白了:"法斯图斯,如果你识得好歹,最好趁我还能控制得住脾气的时候走开。"此时狄莉克塔插进来说:"玛平古!把法斯图斯弄到大街上去!"

法斯图斯听罢红了脸,怒道:"我父亲会知道今天的事的。别忘了,狄莉克塔,他看你父亲并不怎么顺眼。"

"你滚!"狄莉克塔叫起来,"在我让奴隶把你扔到大街上之前!"

法斯图斯一边冷笑一边咕咕噜噜地离开了花园。

狄莉克塔转身对马克西姆说:"我们该怎么办?我必须保护这个高贵的陌生人,他从法斯图斯身边救了我,可是你也必须完成任务。"

"我有一个计划。"马克西姆说,"但是我没法实现它,除非这个陌生人知道我的意思。"

"玛平古能明白你的意思,就能翻译给他听。"女孩说。

"你能绝对相信玛平古吗?"马克西姆问道。

"绝对没问题!"狄莉克塔保证说。

"那么叫别人都走开。"马克西姆说。等玛平古送走法斯图斯回来,发现园子里就只剩下泰山、女孩和马克西姆三人了。

马克西姆招呼玛平古走近:"告诉这个陌生人,我是受命来捉他的。"接着又说,"但是因为他帮助了狄莉克塔,所以我要保护他,但他要按我的安排去做。"

泰山听完玛平古的翻译,问道:"他要我怎么做?"

"我希望你跟我一起走。"马克西姆说道,"就像是我的俘虏一样,我装着要把你送到大剧场下面的土牢里,当走过我家门口,我会暗示你,这是我的家。到时你就趁机逃进树林,就像你逃出苏布拉图斯的皇宫那样,然后你穿过树丛到我家里等我回来。狄莉克塔现在就可以派玛平古去我家告诉我的仆人,等你到我家他们会保护你。你明白了吧?"

"我明白了。"玛平古把这项简明的计划告诉泰山后,泰山回答。

"然后,"马克西姆继续说,"我们会找到一条路让你离开撒奎纳琉斯军团,最后穿过大山走出去。"

十
山谷里的罗马史

瓦里图斯·奥古斯都是东部帝国——梅里城的皇帝,管理国家的责任自然落在他的肩上。尽管这名号不小,但他的领地不大,臣属稀少。梅里城如孤岛悬于山谷密林之中,城市人口刚过两万,包括大约三千白人和一万九千混血人种。在城外的湖边乡村,以及梅里城东岸居住着两万六千黑人臣民。

这天,听取报告结束,皇帝回到宫廷御花园一处藤蔓覆盖的凉亭,用一个多小时与近臣闲谈,并聆听乐师的演奏。皇帝的闲暇时间就是这样度过。这时一个近臣走来,报告贵族福浦斯要求觐见皇帝。

"觐见的时间已过,"皇帝愠怒道,"让他明天来好了。"

"他坚持请求陛下的恩准。"

瓦里图斯对侍从说:"难道我就不能有一会儿放松?非得让福浦斯这样的傻瓜拿些莫名其妙的瞎话来打扰我吗?"

一会儿,当福浦斯来到皇帝的面前,皇帝一脸的冷淡。

"我来了,最尊敬的陛下!"福浦斯说,"为了尽一个罗马公民的职责,我首先关心的应是皇帝的安全。"

"你要来说什么?"瓦里图斯粗鲁地说,"快点说!"

"梅里军团来了一个陌生人,自称是一个蛮族人,来自日耳曼,但我相信他是来自撒奎纳琉斯军团的密探。据说在那里卡修斯成了苏布拉图斯高贵的客人了。"

"你听到了关于卡修斯的什么?他与你要报告的事有什么关系?"皇帝问道。

"我是听说的,这个……"福浦斯结结巴巴地说,"当然也可能是谣传……"

"我听到的关于卡修斯的谣传太多了。"皇帝说。

"我只是听说,"福浦斯红着脸不安地解释,"我不知道真相,我只是听说。"

"那么,你究竟听到了什么?"皇帝又问道,"说出来!"

"这种说法在澡堂子里很普遍,你派卡修斯出使,结果他图谋叛变通敌,立刻去见了西部皇帝苏布拉图斯。苏布拉图斯把他待为上宾,他们合谋计划攻击梅里军团。"

瓦里图斯听了皱着眉头说:"没有根据的谣言!"他又问,"那这和那个陌生人有什么关系?为什么没有人向我报告有这么一个陌生人?"

"这我不知道。"福浦斯说,"这也是我加倍感到有责任来报告的原因。因为窝藏这个陌生人的人是一位非常有势力的贵族,他可能有某种野心!"

"他又是谁?"

"塞普蒂默斯·法沃尼乌斯。"

"塞普蒂默斯·法沃尼乌斯!"皇帝叫起来,"不可能!"

"不是完全不可能,"福浦斯大胆地反对,"陛下只要回想一下,卡修斯和勒普斯,也就是法沃尼乌斯的侄子一直保持着很好的关系,法沃尼乌斯家就像卡修斯的另一个家一样,所以卡修斯转而寻求他们的帮助。他们的野心在宫廷之外几乎是众所周知的。陛下真的对此一无所知吗?"

皇帝听了不由激动起来,离开座位来回踱步。告密者的眼睛眯起来仔细看着他,福浦斯内心充满了邪恶又得意的预感,认定他的话一定发生了效用。

瓦里图斯终于停下来,转身向一位侍臣道:"如果福浦斯是满口胡言的话,那么就让海格力斯神杀掉我吧!这个陌生人长什么样子,福浦斯?"

"他是个白人,面色与我们贵族稍有不同。他装着说我们的语言,却故意夸张某些音节,假装不熟悉我们的语言。我认为这是他欺骗手段的一部分。"

"他是怎么到梅里军团来的?为什么没有一个官员向我报告?"皇帝问。

"这你要问勒普斯,"福浦斯回答,"他是看守国门的司令官。城外湖上村庄把这个人送来的时候正是他当值。陛下也知道,只要对当值的人敬献点儿孝敬,这些人就可以假冒一些角色。"

"你这么清楚这里面的门道,福浦斯,"皇帝说,"让人不得不怀疑你也这么干过。"

"陛下英明……"福浦斯吓出一身冷汗,发白的脸上强挤出笑容。

"那么,"皇帝转身对一个官员说,"把法沃尼乌斯、勒普斯还有那个陌生人都给我抓来!"

话音刚落，一个近侍走进花园报告："法沃尼乌斯要求觐见陛下。同来的还有他的侄子勒普斯，还有一个陌生人。"

"带他们来！"皇帝说。对刚派下正要去抓人的官员说："我们听听法沃尼乌斯能说些什么。"

不一会儿，法沃尼乌斯三人进了花园。当他们走近时，法沃尼乌斯和勒普斯不约而同都瞟了福浦斯一眼。

皇帝问勒普斯："为什么没有马上通知我捉到一个俘虏？"

"是有一点耽搁，陛下。"年轻的官员回答说，"我让他先洗澡，换件衣服才好见陛下，因为他毕竟是个蛮族头人。"

"你带他到这里来干什么？"皇帝说，"我们梅里军团不是有土牢给那些撒奎纳琉斯来的俘虏吗？"

"但他并不是从撒奎纳琉斯军团来的。"法沃尼乌斯不高兴地看了一眼福浦斯。

"那么你究竟是从哪里来？到我们国家来干什么？"瓦里图斯转向埃里克。

"我来自日耳曼，一个你们的历史学家知道的地方。"埃里克回答。

"我想你曾经在你的国家里学过我们的语言吧！"瓦里图斯带着嘲笑的口吻说道。

"是的，确是这样。"

"那么你从来也没有到过撒奎纳琉斯军团吗？"

"从来也没有！"

"我猜想你大概去过罗马。"瓦里图斯笑起来。

"是的，多次去过。"

"那么现在那里谁是皇帝？"

"现在那里没有皇帝了！"埃里克回答说。

"罗马没有皇帝？！"瓦里图斯惊叫起来，"如果你不是来自撒奎纳琉斯军团的密探，那么你也是个疯子，或者你两者都是，因为只有疯子会希望我会相信这样的故事。没有罗马帝国，真的吗？"

"现在确实没有罗马帝国了。"埃里克回答，"我听勒普斯告诉我，您的国家与外面世界失去交往已经是一千年了。今天世界上已经没有国家再说你们的语言了，只有僧侣或者学者还会说这样的话。蛮族日耳曼、法兰西和不列颠都建立起实力强大的文明帝国，而罗马现在只是意大利的一个城市。"

勒普斯这时满脸笑意对叔叔法沃尼乌斯小声说："我对你说过你会喜欢他的，看在上帝的面，我希望他会告诉瓦里图斯关于轿子的故事，现在那里的轿子每小时会跑五万步呢！"

这时埃里克的态度和语言中都有一种令人不得不相信的力量，就连瓦里图斯也对这些貌似荒诞的故事半信半疑了。

皇帝转向福浦斯问道："你有什么证据说这个人是来自撒奎纳琉斯军团的密探？"

"除此以外他还能从哪儿来？"福浦斯强辩说，"我们知道他不是出自梅里军团，那他肯定只有从撒奎纳琉斯军团来喽。"

"那么说你是没有什么可靠的根据了。"

福浦斯无话可说，只在那里嗫嚅。

"出去！"瓦里图斯皇帝发起火来，大声地说，"我以后再跟你算账！"

福浦斯满脸丧气地离开了花园,他恶狠狠地盯着法沃尼乌斯和埃里克的眼神,说明他不会就此罢休。在福浦斯离开花园以后,瓦里图斯看了埃里克好长时间,好像要弄明白站在他面前的这个陌生人究竟是怎样的人。

"那么现在罗马是没有皇帝了。"瓦里图斯边沉思边问,"当撒奎纳琉斯领着他的步兵队离开埃及时,涅尔瓦①还是皇帝。那是涅尔瓦统治的第二年,罗马历848年2月前六天。从那天以后撒奎纳琉斯军团再没有收到过任何从罗马来的消息了。"

埃里克听了,赶快在心里把瓦里图斯嘴里的日期换算成公历。然后说:"2月1日的六天以前,"他重复道,"那应该是1月25日。848年,也就是涅尔瓦死亡的那天,用今天的纪年应是公元98年。"

"那么涅尔瓦以后的皇帝又是谁?你知道吗?"

"是图拉真②。"埃里克回答说。

"为什么你一个蛮族人知道这么些关于罗马的历史?"皇帝问。

"我是研究这些事的学生。"埃里克回答,"这个专业是我的志向,我要成为这方面历史的权威。"

"你能把涅尔瓦之后的历史都写下来吗?"

"我能把我读过的、记得的都写下来,"埃里克说,"但是这要花很多时间。"

---

① 公元35年—98年,古罗马五贤帝时期第一位皇帝。

② 涅尔瓦病逝后继位的罗马皇帝。

"那么你来把这些都写下来,"瓦里图斯说,"你会有足够时间的。"

"但是我没有在你的国家长住的计划啊。"埃里克不同意。

"你必须留下来,"瓦里图斯说,"而且你还要写完瓦里图斯·奥古斯都——东部皇帝的统治史。"

"但是……"

"够了!"瓦里图斯打断,"我是皇帝,这是我的命令!"

埃里克无可奈何地耸耸肩,勉强笑了笑。罗马的皇帝,以前只是陈旧的牛皮文书和风吹雨打的碑刻残片,直到现在才变得真实起来。

这里确实是一位皇帝,尽管他的帝国不大,不过几平方公里,和一大片沼泽地的沿岸,坐落在一个不知名的峡谷中,他的臣民数量也不超过五万。但它毕竟是一个帝国,统治它的是一位皇帝,瓦里图斯·奥古斯都。

"来,"皇帝说道,"我领你去看看我的图书馆,因为那里是方便你工作的地方。"

所谓图书馆设在一条长廊尽头,是一座圆形屋顶的房间。瓦里图斯骄傲地展示这里整齐摆放的数百卷牛皮卷宗。

"这里!"瓦里图斯随便拿起一卷说,"这是关于撒奎纳琉斯的故事,以及直到我们梅里军团建立的历史。拿上它,在你有空的时候读一读。这段时间你可以和法沃尼乌斯和勒普斯生活在一起,我要他们对你负责。以后每天你可以到宫里来,我将口授我的统治史。现在你可以和法沃尼乌斯一道走,明天这个时候你再来!"

埃里克他们三个人走出皇宫，埃里克哭笑不得地对勒普斯说："有一个问题，我究竟是一个俘虏还是一个客人？"

"我看你两者都是，"勒普斯回答说，"即便你还算半个客人，那对我们也算幸运了。瓦里图斯皇帝是一个自负、傲慢而且残忍的人。福浦斯在我们觐见之前就说了我们许多无中生有的坏话。究竟是什么原因使皇帝后来改变了态度，我不知道，但我们总算很幸运。"

"但是要好几年才能写成一部罗马史。"埃里克抱怨说。

"可是你如果拒绝这件事，你会远远活不到完成一部罗马史所花的年头。"勒普斯说。

"梅里军团的生活也并不难过。"老人法沃尼乌斯插进来说。

"您说得对。"埃里克说，脑子里完全填满了老人女儿美丽的面孔。

回到家中，埃里克以一个考古学家的本能，迫不及待要仔细阅读皇帝给他的古老卷宗。他立刻回到拨给他的居室，躺在一张长沙发上，解开捆扎的线绳，打开了发黄的文卷。

展现在他眼前的是一卷手写的古老的拉丁文文书，充满了涂改、删削的文句，年深日久的纸张也发了黄。这和他过去看过的任何手卷大不相同，不像是那些保存良好的专业史家书写的罗马史。只要看上几眼就会发现，它很可能是一些军队的非文书专业者的手迹。

这些手稿文句拙劣，辞藻生涩而僵硬，还有不少两千多年前的罗马或埃及的俗词俚语，此外，还有许多小地名和很少见的历史名词，可能在他们那个时代也鲜为人知。这增加了埃里克阅读的难度。文本中提到的有人曾经救过撒奎纳琉斯性命的那座埃及小城,似乎在今天的地图上也找不到。但正是在这里,撒奎纳琉斯的名字具有重要的意义。他在这里于公元90年战胜了敌对的涅尔瓦,而后来涅尔瓦却成了罗马的皇帝。而撒奎纳琉斯,一个帝国的创建者却在罗马古代的任何编年史中了无踪影。许多历史事件从这尘封已久的文书中重新活跃在埃里克的面前。

带着浓厚的兴趣,埃里克读到了撒奎纳琉斯怀着不满和愤怒被涅尔瓦贬谪到遥远的底比斯古城。

撒奎纳琉斯以第三人称在这里写道:"撒奎纳琉斯,第十罗马兵团第三队的长官,于罗马历846年驻扎在底比斯城亦即涅尔瓦黄袍加身不久,被指阴谋反对皇帝。

"大约于罗马历848年2月1日的前五天,一罗马使者来到底比斯城,传达涅尔瓦的命令,调解撒奎纳琉斯返回罗马加以逮捕,但撒奎纳琉斯并无意回到罗马。由于无人知晓此事,撒奎纳琉斯当即以短剑杀死了这名信使,并且在部队中散布来人是罗马派来的刺客的消息,而撒奎纳琉斯出于自卫将他杀死。

"撒奎纳琉斯称涅尔瓦将派出更强大的兵力来解散部队,因此他说服部下跟随他沿尼罗河寻找一片新的国土。在那里他们将远离妒忌与邪恶的罗马皇帝涅尔瓦。此后不久,他们就开始了远征。

"正当他们即将远征之时,有一支船队,有近百艘帆船来到附近的海港进行贸易。这一队商船每年都带来丰富的商品,有丝绸、珍宝、香料以及其他许多商品。他们也把这些商品装饰在骆驼背上,沿尼罗河上游的一些城市运送,在亚历山大港再装船运到罗马去进行交易。

"随行商队的还有数百名来自印度,甚至中国的奴隶,也有一些遥远的西北亚的浅肤色人,这是商队从蒙古劫掠者手中买来的。这些人大多是年轻的女孩,是准备运到罗马进行拍卖的。对于撒奎纳琉斯和他的部下来说,这是一次难得的机遇。于是军团洗劫了船队带来的所有妇女、奴隶和财物。

"接下来,这五千步兵队先后到过几个地方。但直到罗马历的835年,一次偶然的机会,他们才发现了这条隐蔽在群山中的峡谷。于是他们在这里建立了撒奎纳琉斯军团的王国。"

"读得有趣吗?"一个声音在门口说。当埃里克抬头看时,勒普斯正站在门槛边。

"很有趣。"埃里克坦率地说。

勒普斯耸了耸肩说:"我猜如果由那个老撒奎纳琉斯来写出真相也许更有趣。"他接着说,"他持续20年的统治我们知之甚少,他于撒奎纳琉斯20年——相当于罗马历873年——被人暗杀。这个老家伙以自己的名字命名了城市,而且颁布了新的历法,还把他的头像铸在了金币上,现在还能找到这样的金币。但是在梅里军团我们试图尽可能地忘记撒奎纳琉斯。"

"那么我常听你们提起的撒奎纳琉斯城是怎么回事?"埃里克追问道。

"它是撒奎纳琉斯最早建立的城市,"勒普斯回答说,"过了一百多年,那里的情况变得越来越困难。人们的生命和财产变得没有保障,一切都得祈求于暴虐的君主。也就在这时,欧努斯·哈斯塔革命了,他率领几百个家族来到峡谷东面的这个岛上,建立了城市，成立了梅里城，已经 1700 年了。这些家族的后代生活得相对和平也安全，只是一直与撒奎纳琉斯城保持着战争状态。"

"基于相互的需要，两座城市经常进行一些商业交流，但这种交流也不时被劫掠和战争打断。两座城市彼此的矛盾、怀疑都因为畏惧会被另一座城市兼并。"

"不过现在梅里城在它皇帝的领导下既幸福又满足了吧？"埃里克问道。

"这个问题如果我诚实地回答了，我就会失去幸福和满足。"勒普斯无可奈何地耸耸肩说。

埃里克又问："以后我每天都要到宫里听瓦里图斯讲他的故事，写他的统治史，我会更了解皇帝，但同时也许会招来严重的麻烦，或许对你和法沃尼乌斯不利，因为皇帝声言你们要为我负责。我愿意保证，我绝不会把从这里听到的讲出去，如果有什么是你事先提醒过我的话。"

勒普斯轻轻倚着墙，玩弄着他佩刀的刀柄，一面在思考什么。少顷，他突然抬起头盯着埃里克说："我相信你。首先我感到你是一个可信任的人；第二，伤害我和法沃尼乌斯对你一点好处也没有。梅里城的市民并不喜欢这位皇帝，他既傲慢又残忍，不像我们习惯的先帝那样。

"上一任梅里皇帝是一位仁慈的人。但是当他去世时，他的儿子才一岁多。所以，瓦里图斯也就是老皇帝的兄弟才接了王位。

"前一位皇帝的儿子，也就是瓦里图斯的侄子名叫卡修斯。因为他深孚众望，所以引起现任皇帝的嫉妒和憎恨。最近他被皇帝派出去执行一项秘密使命,去到了峡谷西面的某个地方,不少人都以为这是事实上的放逐,只是现在这位皇帝坚持说事实上并非如此。没有人知道卡修斯接受的命令是什么,他在一天晚上秘密地只带了几个奴仆就出发了。

"人们都相信他是被派往撒奎纳琉斯军团刺探军情。如果真是这样,那他的这个使命等于派他去送死。假如这是事实,那么人民会起来反对瓦里图斯,因为他的侄子卡修斯在梅里军团是非常有威望的。

"好!行了,我不再用梅里军团里的不愉快的事打扰你了。拿着你的读物到花园里去吧!那里的大树荫要比这里凉快多了。我一会儿也会到那里去。"

当埃里克伸展了身躯躺在法沃尼乌斯家花园里树荫下的草地上时,他脑子里不再想撒奎纳琉斯军团的历史,甚至梅里军团里某些人的灾祸都一股脑儿忘到九霄云外。

作为一个学者,一个探索者和一个考古学家,他应该留在这里,探索这个峡谷中发生的历史故事和这里的政府、居民、风俗。但是长时间把自己关进东部帝国圆拱形建筑的图书馆,用苇秆笔和拉丁文书写古罗马的历史,对他来说实在没有多少吸引力。

亚麻布新衣的沙沙声和穿在脚上软软的凉鞋踏在花园的砾石路上的感觉都时时打断他的一些异想天开。只有当他看到法沃尼娅美丽的脸庞,这一切,诸如古代罗马、筹划逃跑计划等等都被女孩甜蜜的微笑驱散到九霄云外,就像晨雾遇见了明媚的阳光。

十一
迪翁家的友谊

当马克西姆领着泰山走出撒奎纳琉斯军团的迪翁家的时候,聚集在大门口的士兵纷纷发出兴奋的惊呼和脏话。他们欣赏这个年轻的贵族,一个人就把野蛮人俘虏并带了出来。

马克西姆下令让大家都安静下来,让士兵把泰山围在中间,大家一齐向着大剧院走去。走出不远,马克西姆就让部队停下来,自己走到一户人家门口站住了。一会儿却又走了回来,好像刚才是在思考是否进去。接着队伍继续行进。泰山明白这就是马克西姆的家,也是泰山未来的避难所。

队伍沿大街又向前走了数百码,马克西姆命令队伍停在一棵大树下休息。大树对面,紧靠一处花园园墙,恰有一座用于饮用的水池。墙里茂密的枝叶覆盖到水池的上方,挡住了射向水面的阳光,因而水也清凉可口。

马克西姆穿过大街在水池里喝了水,也让他的士兵去水池喝水,最后他又示意泰山也可以去饮水。

泰山缓慢地穿过大路走向水池。他看了看水池上的树枝,发现茂密的枝叶足可以隐藏下他的身体。他喝了两口水,突然小跑几步,只一蹿,就从水池的侧面钻进了茂密的叶丛中去了。士兵马上惊觉起来,纷纷穿过大路,但当他们在年轻军官的率领下来到水池边向树丛中张望时,泰山已经踪影全无了。

他们失望地喊叫,向树丛中搜寻,但是却找不到那野人的痕迹。有几个身体强壮的士兵爬上树枝搜索,而马克西姆却指着相反方向摇动的树枝喊:"在那边,他向那边跑了!"

泰山轻捷地在葱茏的树丛中穿过了大半个撒奎纳琉斯军团的城市,路线基本上与刚才走过的大街平行,所以不久他就来到马克西姆家花园的大树上。这里的建筑似乎略微不同于城市其他建筑的风格,显然是一座显赫的贵族之家。

从泰山停留的大树上,他看到树下有一位似主妇的贵族妇女正在听一个黑人激动地报告什么,围听黑人讲话的还有几位奴仆似的妇女和男子。

泰山认出讲话的黑人正是玛平古。虽然听不懂,但估计他正照马克西姆在迪翁花园里的指示,向主仆添油加醋地讲述马克西姆的安排以及当时的情景。听的人都张大了嘴,吃惊地瞪起了眼睛。

听玛平古讲话的主妇风度庄严,稍微显出了高兴而感兴趣的样子。她这种表情,究竟是出于玛平古叙述的内容,还是出于欣赏黑人的忠诚,泰山无法判断,或许两者兼有。

这位主妇衣着华贵,五十余岁,一头灰发,神情泰然自若,眼神和脸上显露出节制的笑容,可以肯定她是一位有涵养的真正的贵族妇女。

玛平古大概正讲到迪翁花园里的情况,此时他的词汇明显表现出贫乏,不足以流畅地描绘当时法斯图斯的尴尬和野人救出他女主人的兴奋之情。就在这时，泰山从树梢飘然落到他身旁，玛平古惊得目瞪口呆，那位贵妇却只显出一点兴奋的笑容。

"这位就是你说的那个蛮人？"她问玛平古。

"就是他。"黑人回答。

"告诉他，我是菲蒂斯塔，是马克西姆的母亲。"贵妇对玛平古说，"我以我儿子的名义欢迎他。"通过玛平古，泰山接受了贵妇人的欢迎，感谢她的殷勤好客。然后她指示仆人给泰山安排了住处。

直到下午很晚，马克西姆才回到家里。他立刻就去了泰山的房间，和他一起的还有上午当过翻译的巴格哥人。

"我要留在这儿和你在一起。"这个巴格哥人对泰山说，"既当你的翻译还当你的仆人。"

"我冒昧地说，"马克西姆通过翻译说，"这里是撒奎纳琉斯军团城内他们不敢来搜查的唯一所在了。据我所知到现在为止他们已经派出三百多人，在城外的树林里仔细搜查你的踪迹，但一无所获，所以苏布拉图斯皇帝开始相信你已经成功逃走了。我想让你在这里多藏几天，直到我能想法让你在某个晚上离开这个城市。"

泰山听完露出了微笑："我相信白天晚上我都可以离开，这是你见过的，不过我在没有找到我要找的人以前还不想离开。我得感谢你的好客和宽容，只是你为什么要这样勇敢而善意地对我，我还有些不明白。"

马克西姆听了笑道："这很容易解释，今天早上你救过的那个女孩狄莉克塔，她是迪翁家的女儿，她和我就要结婚了。我想这样你就明白了吧！"

"哈哈，当然，"泰山说，"我也很幸运，恰巧被我正碰上！"

"要是你再一次被捉住，就不会那么幸运了。"马克西姆说，"因为那天欺侮狄莉克塔的人是法斯图斯，是皇帝的儿子，你和他算是有了两桩仇事。你留在这里很安全，我家的仆人都很忠心，你尽可以放心住下去。"

"如果我住在这里，"泰山说道，"后来又被发现，皇帝不会迁怒于你吗？"

马克西姆听了无可奈何地耸耸肩："我天天都这样盼着呢！不光因为你，还因为皇帝的儿子想娶狄莉克塔，即使我不与你为友，我也得罪他们了。"

"如果我留下来，可能还会帮到你。"泰山说。

"我现在还不知道你除了待在这里还能干什么。"马克西姆说，"撒奎纳琉斯军团的男人、女人和孩子都在找你。苏布拉图斯出了一大笔钱悬赏抓你，除了城内的居民，城外还有数千蛮人，他们都想抓到你去领赏。"

"今天已经有两次了吧，你看到了我能够多么容易就从苏布拉图斯的士兵手中逃跑。"泰山笑着说，"即使到了城外，我从野人们的视线下逃跑同样也易如反掌。"

"那你为什么还要留在这儿？"马克西姆不解地问道。

"我来这里是为了寻找我朋友的儿子。"泰山回答，"好几个星期以前，这个年轻人带了一个探险队来威伦瓦兹山，你们的国家不就在这座山里吗？他带的人由于胆小害怕，都丢下他逃跑了。我相信他现在仍在山里，而且很可能就在峡谷里。如果他在这里,而且还活着的话,很可能早晚都会到城市里来。如果他来,我敢说他不会得到皇帝的友好款待,这是我留下的主要理由。现在你还告诉我你的处境也不太妙,所以我更要留在这里,以便报答你对我的友谊。"

"如果你朋友的儿子到了峡谷的我们这一边,他很可能被送去见了皇帝,"马克西姆揣测,"但如果发生这种事,我是一定会知道的,因为他会被送去大剧场。管理剧场的人多半都是苏布拉图斯不喜欢的人,官员都不喜欢这个工作。"

"那么我要寻找的人有没有可能在峡谷里别的地方呢?"泰山问道。

"不,"马克西姆回答说,"这里只有一条路进入峡谷,也就是你被捉来的这条路。峡谷的东面还有一个梅里城,但他如果不穿过我们城外的丛林,就不可能到达那里,在这种情况下他很可能被城外的蛮人捉住,并被送到苏布拉图斯皇帝这里来。"

"那么我只好留在这里一段时间啦!"泰山无可奈何地说。

"我非常欢迎。"马克西姆回答说。

从此,有三个多星期泰山一直留在马克西姆家里。马克西姆的母亲菲蒂斯塔对这个古铜色皮肤的蛮人非常喜欢,而且不久她就对与泰山谈话中要插一人翻译感到厌倦,试图与泰山直接交谈。她开始教给他自己的语言,没有多久泰山就可以听懂她的意思了,接着泰山就用简单的拉丁语与她交谈。并且,泰山一点也不缺少实践他刚学会的语言的机会,因为老妇人非常喜欢听泰山讲外面文明世界的生活习惯和方式。

当泰山在撒奎纳琉斯军团逐日期盼能听到埃里克在峡谷里

被发现的消息时,他等待的这个年轻人却在东部的帝国里,以贵族身份把大部分时间泡在皇家图书馆里。不过,他对整天打交道的历史知识多少有些厌烦,他时不时生出一种被囚禁的感觉,因此,也时时计划逃出这樊笼似的书库。

在图书馆,他也经常发现不少道地的拉丁文文献,包括荷马、弗吉尔、西塞罗、恺撒等人不知何人的手抄本,这些珍宝吸引着他,并且冲淡他想逃跑的欲望。

就这样,日子一天天地过去。而这时在另一个世界里,却有一只猴子,在丛林上方的树枝间惊惶地奔跑。

十二
出 卖

爱好夸口并不是某个时代、某个种族或某一个人的特点,而多少是人性的特点。所以当玛平古有了只有他和马克西姆一家人才知道的重要秘密时,免不了在偶然的场合里漏出一句半句,以显示他的重要地位。

玛平古无意伤害谁,他对迪翁家是忠诚的,他更无意给他的主人或主人的朋友带来任何伤害。但事情往往就是,有时候人的话说得多了一些,就惹了麻烦。这天,玛平古在市场上给迪翁家购买后厨用品时,忽然一只手重重地拍在他的肩膀上。他回头一看,让他大吃一惊,这个人竟然是宫廷卫队的百夫长,站在他后面的还有一列宫廷卫士。

"你是迪翁家的仆人玛平古吗?"百夫长问道。

"是的。"黑人回答说。

"那么跟我来!"百夫长说。

玛平古向后缩了一下,他像所有人那样害怕皇帝的卫士。他说:"你叫我干什么?我什么也没有干。"

"来吧!野蛮人。"一个军士催促说。

百夫长说:"我来不是和你商量事情,我是来抓捕你的。"说着他就把玛平古猛地一拉，揉进了士兵的队伍中。

周围已经聚集了一些人，这是当逮捕某个人时常会发生的事。百夫长不理会这些人，命令士兵带上玛平古挡开围观的人，走了出去。没有人敢问此事，因为谁也不敢向皇帝的官员问一句为什么？

玛平古猜自己会被领到大剧院下面的土牢去，因为那是囚禁一般囚犯的场所。但是现在他们走的却不是那条路，而是向着皇宫而去。他心里充满了恐惧。

玛平古去过皇宫，他听过苏布拉图斯皇帝如何残酷地报复他的敌人的故事，所以当皇宫的大门在他后面砰的一声关上时，他的精神近乎崩溃了。他精神恍惚地被领进了一间内室，那里有一位高级法官似的官员等着他。

"这就是玛平古，"百夫长对着大法官似的人物说，"迪翁家的仆人，他就是我受命去抓的人。"

"好！"大法官说，"你和你的分队在我询问他的时候要留下来。"然后他转身对玛平古说，"你知道一个人帮助皇帝的敌人，将受到什么惩罚吗？"

玛平古的下巴痉挛地动了动，好像要回答什么，但他最终却未能说出话来。

"他要被处死。"大法官咕噜着恐吓地说，"他们要被处以最可怕的死法。而且人们永远也不会忘记他们是死得怎样的可怕。"

"我什么也没做。"玛平古大声说，仿佛忽然重获说话的能力。

"不要对我说谎。"大法官打断了黑人的话,"你曾帮助自称泰山的那个野人逃跑,直到现在你都把这个人藏了起来,你不是反对皇帝吗?"

"我没帮他逃跑,我也没有把他藏起来。"玛平古哭着说。

"你撒谎!你知道他在哪儿,你对别的仆人吹嘘说你知道。快告诉我。"

"我不知道。"玛平古说。

"要是你的舌头被割掉,你就不用告诉我们他在哪儿了。"大法官说,"如果一块烧红的铁棍烫瞎你的眼睛,你也就不用领我们去找那个野人了。但是如果我们不用你帮忙就能找到这个野人——当然我们完全可以,那么你的眼睛和舌头都是多余的东西,你明白吗?"

"我不知道他在哪儿。"玛平古又说。

这个官员什么也没说,转身敲了一下锣,进来一个奴仆。"拿把钳子来。"法官对奴仆说,"还要一个烧红了的火盆和一根烧热的铁棒。要快!"

奴仆走了之后,房间里静静的什么声音也没有。对玛平古来说那个奴仆一直也不回来才好,但是那个奴仆终于回来了,带来了钳子,一个燃烧的火盆,从燃烧的炭火中伸出一根铁棍。

"让士兵按住他。"法官对百夫长说。

对玛平古的最后审判就要来了。法官甚至无意再给玛平古说话的机会。

"等等!"玛平古叫道。

"好!"法官说,"你的记忆功能恢复了?"

"我只是一个奴仆。"玛平古哭着说,"我只能听我主人的吩咐。"

"那么他们吩咐你做什么?"法官问道。

"我只是个翻译,"玛平古说,"那个白皮肤的野人说巴格哥话,他大概是我们的人。通过我,野人和他们之间才能说话。"

"那么他们都说了什么?"询问者问道。

玛平古犹豫着、思考着,眼睛看着地面。

"说呀!快点!"法官催促说。

"我都忘记了。"玛平古说。

法官这时向百夫长打了个招呼,立刻上来几个士兵抓住玛平古,粗野地把他摔倒在地,四个士兵上来按住他的四肢。

"钳子!"法官指示说,然后一个士兵把钳子递到百夫长手里。

"等等!"玛平古尖叫道,"我告诉你。"

"让他起来说。"法官说。然后他转向玛平古,"这可是你最后的机会,如果你还是拖延,那么你的舌头就会被拉出来,眼睛也会被烫瞎。"

"我说。"玛平古说,"我只是翻译,我一点也没帮助他逃跑或者把他藏起来。"

"如果你对我们讲真话,你就不会受到惩罚。"法官说,"那个白野人在哪儿?"

"他藏在马克西姆家里。"玛平古说。

"那么你的主人把他藏起来要干什么?"法官又问道。

"迪翁家在这件事里什么也没干。"玛平古回答说,"是马克西姆策划的这一切。

"好了！就是这些了。"法官对百夫长说,"把他带走,看管起来,直到接到进一步命令,不许他与别人说话。"

几分钟之后,审问玛平古的法官来到苏布拉图斯皇帝的房间,这时皇帝与他的儿子法斯图斯正在谈话。

"我找到那个白野人了,苏布拉图斯陛下。"法官宣布说。

"好！"皇帝说,"他在哪儿？"

"在马克西姆家里。"

"我早就想到可能是在那里。"法斯图斯说。

"那么还牵涉到谁？"苏布拉图斯追问道。

"他曾出现在迪翁家的花园。"法斯图斯抢着说,"皇帝也听说过,我们也都知道迪翁早就觊觎皇帝的紫袍子了。"

"这个奴仆说只有马克西姆对白野人逃跑负责。"法官说。

"他是迪翁家的一个奴仆,不是吗？"法斯图斯问道。

"是的。"

"那么就不奇怪他要保护他的主人了。"法斯图斯说。

"把他们都抓起来。"苏布拉图斯下令说。

"您的意思是指迪翁家,马克西姆和野人吗？"法官问道。

"我的意思是这三个人,以及迪翁和马克西姆全家。"苏布拉图斯回答说。

"等等,皇帝陛下。"法斯图斯建议,"那个野人已经逃跑两次了。他只要得到一点风声,岂不是又要逃跑了吗？我有一个计划。"

一个小时以后,一位信使来到迪翁家,带来一份请柬给元老院元老和他的夫人,邀请他们参加一位宫廷官员的晚宴。另一位信使到马克西姆家,邀请这位年轻的官员参加一位年轻贵族主办的娱乐晚会。

因为这两个邀请都分别发自两个受皇帝宠幸的家庭,这就像是命令,连有影响力的元老譬如迪翁也不得不参加。两份邀请都被接受下来。

夜晚降临撒奎纳琉斯城。迪翁和夫人乘坐的轿子准时停在主人家门口。马克西姆也在撒奎纳琉斯城内一家富有的人家参加酒宴。法斯图斯也在这里,马克西姆有些惊讶和迷惑,为什么皇太子今天这么友好。

"我总是对法斯图斯向我微笑感到怀疑。"马克西姆对他一个熟友这样说。

在迪翁家,狄莉克塔坐在女仆中间,听她们中一个外来的黑人妇女讲非洲村落里的故事。

泰山和菲蒂斯塔坐在马克西姆家里,这位罗马主妇正在听外面非洲荒野和欧洲文明社会的故事。她一直都催着这位奇怪的客人给她讲外面神奇而有趣的故事。突然,他们听到外面有敲门声。立刻有个仆人到房间里报告,迪翁家的玛平古来给泰山送信。

"把他叫到这儿来。"菲蒂斯塔夫人说。很快玛平古就被领到房间里来。

如果泰山和菲蒂斯塔熟悉玛平古的话,就会看出他非常紧张和不安。

"我来是叫你到迪翁家去。"玛平古对泰山说。

"这真怪。"菲蒂斯塔说。

"您的儿子,原来待在迪翁家,但是今天晚上他要出去参加一场宴会。当他要走时,他叫了我去,告诉我到这儿来,叫这位客人到我主人家。"玛平古解释说,"我所知道的就是这些。"

"是马克西姆亲自给你这些指示的吗?"

"是的。"玛平古回答说。

"我不知道究竟是什么原因。"菲蒂斯塔对泰山说,"但是必定有什么重要的情由。天这么黑,你可以放心外面不会有人看到你。"

"是的,外面很黑。"玛平古说,"没人会看到他。"

"我估计也没什么危险。"泰山对菲蒂斯塔说,"马克西姆一定有什么要紧的事,走吧,玛平古!"然后他站起来向菲蒂斯塔道了别。

泰山和玛平古走出去没有多远,这个黑人就指着一处门洞说到了。这是一座小门,开在一片坚固的院墙上。

"我们到了。"玛平古说。

"这不是迪翁的家。"泰山说着,马上怀疑起来。

玛平古吃惊的是这个白野人怎么有这么好的记性,他只到过迪翁家一次,这还是三周前的事。他并不知道人猿是长期在丛林里经过如何辨识路径的生存训练长大的。他所有的认识器官,对于任何方向、地点、辨别微妙的差异都十分敏感。

"这里不是大门。"玛平古很快回答说,"马克西姆认为走迪翁家的大门未必安全,这里有一条长巷子直通向花园。"

玛平古打开了门示意泰山走在前面。泰山就这样穿过黑暗。正在这时,十几个人冷不防从门后抢上前来把泰山按倒,泰山立刻感到他被出卖了。就在几秒钟之间,他的手腕上已经被锁上了镣铐。这是他唯一恐惧和憎恶的东西。

十三
锒铛入狱

正当埃里克·冯·哈本在夏日的月光下,在梅里城里法沃尼乌斯家的花园和法沃尼娅谈情说爱的时候,历尽辛苦寻找他的人猿泰山却被一小队罗马士兵押解着走向大剧院。而在南面远处某个丛林里,小猴子尼可玛此时正躲在远处的树梢上忍饥受冻,惊恐地听着树下黑暗中猎豹穿梭觅食。

在宴会大厅,马克西姆正靠在离法斯图斯餐桌稍远的沙发上休息。今天法斯图斯可是容光焕发,成为客人中的贵宾。这位王子的舌头已经因为酒喝得太多,有点不由自主了。看起来他今天特别得意洋洋,几次把话题扯到那个不知好歹攻击父王的白野人,而且又两次逃跑的事情上。

"总有一天他落到我手上,是逃不掉的。"他得意地朝马克西姆这边冷笑了一下又说,"他永远也逃不出忠于陛下的人之手。"

"法斯图斯!你不是在迪翁的花园里遇见过他吗?"马克西姆回应道,"那次你怎么没把他抓住?"

法斯图斯不由得红了脸,脱口而出地说道:"这一回我会抓住他的。"

"这一回?"马克西姆追问道,"他又被抓住了吗?"尽管马克西姆把话说得彬彬有礼,但法斯图斯的话在他心中却打了个晴天霹雳。

"我的意思是……"法斯图斯不免有些言语含混,因为他还没有得到确切的让他可以夸口的信息,"如果他再被捉到的话,我,就我的心思而言,他是跑不掉的。"尽管法斯图斯的愿望与现实还差着一大截,但是他的话一点没有减轻马克西姆的担忧。

整个晚宴马克西姆一直有一种不祥的预感。在主人好客的气氛中,仿佛迷漫着某种不友好的威胁,尤其是围着法斯图斯的几个密友,更使马克西姆加重了这种不安。

晚宴临近结束,马克西姆找了个借口离开了。带兵刃的仆从紧跟着他的轿子,穿过撒奎纳琉斯城市的街道。夜晚并不让人觉得安全,因为这里盗匪时不时横行无忌,最后总算到家了。然而更让他觉得不安的是他下轿以后,却发现家门虚掩着。

家里格外安静,好像没人。通常家里有人夜间外出,仆人总在外院点一盏灯,今天外院并没有灯光。他脱掉外袍推门进了家门。

在一位高级官员的宴会上,客人们不少已经哈欠连连,感到无聊了,但是皇帝还留在这里,没人敢提前先走。已经相当晚了,忽然一个官员给苏布拉图斯送来一封信。看完了信,苏布拉图斯满意地对客人们宣布说:"我收到一个重要的消息,这只关乎我和迪翁夫妇,希望大家退走以后,只留下我们三人商量。"

在大家忙不迭地离去以后,苏布拉图斯转向迪翁说:"很久以来就有传言说,你热望皇帝的紫袍。"

"这完全是无稽的谣言,苏布拉图斯陛下。"元老说。

"我有理由相信另外一种可能。"苏布拉图斯说,"一山不容二虎,迪翁,你也知道对背叛的惩罚。"

"如果皇帝已经决定了什么,不管是因为什么理由要除掉我,争辩是没有用的。"迪翁刚直地说。

"但是我还有另外的计划。"苏布拉图斯说,"可以完全改变现在的情况,使你罪不至死。"

"是吗?"迪翁谨慎有礼貌地问道。

"是的。"苏布拉图斯肯定地说,"我儿子想娶你的女儿狄莉克塔,这也是我的意思。这样一来,撒奎纳琉斯军团最有威望的两家就可以联合起来,未来的皇位也就有了保障。"

"但是,我的女儿已经和别人订婚了。"迪翁说。

"和马克西姆订婚了,是吗?"苏布拉图斯问道。

"是的。"元老回答说。

"那么,让我告诉你,她永远也不可能嫁给马克西姆。"皇帝说。

"为什么?"迪翁问道。

"因为马克西姆就要死了。"

"我不明白。"迪翁说。

"我现在几乎可以说那个白野人泰山已经被抓住了,这样你就可以了解马克西姆要死的原因了。"苏布拉图斯说完,冷笑了几声。

迪翁听完了摇摇头说:"很遗憾,我还不能明白皇帝的意图。"

"我认为你可以,迪翁。"皇帝说,"这表面上好像是互无关联的事,那么让我告诉你,这是我的愿望,也是关乎撒奎纳琉斯城王位继承的问题。让我详细地告诉你,也许你已经知道一些。自从白野人逃跑以后,他出现在你的花园里,和马克西姆在一起,而且你的一个黑奴还给他们当翻译,这都是法斯图斯亲眼看见的。后来他就躲在马克西姆家里。今晚他在那里被捉到了,同时马克西姆也被逮捕了。他们俩现在都被关在大剧场下面的土牢里。所以,这些事都不必瞒你。不过如果你同意把狄莉克塔嫁给王子法斯图斯,我也许可以放马克西姆一马。"

"你知道在撒奎纳琉斯军团的整个历史中,"迪翁说道,"作为我们的一种骄傲传统,我们的女儿们都是可以自由地选择夫婿,从来还没有一位皇帝下过命令让一位自由妇女违背她的意愿去嫁给谁。"

"这是事实。"皇帝苏布拉图斯说,"也就是因为这个原因,我不是下命令,我只是建议。"但是他不可违抗的语气与他说话的意思并不一致。所以,元老和他的妻子只好告退回府,并且回家思考皇帝的话。

借着照明火把的光,泰山被推进了大剧场地下室的土牢里,他看到这里有一个白人和几个黑人被锁在墙上。在这些黑人中他发现有鲁可迪,但是当鲁可迪看到泰山时,只略微表示了他还记得泰山,也许是拘禁得太久的缘故,他似乎已经有些神经麻痹了。

泰山被锁在土牢中另一个白人的旁边。对这个白人,泰山自从进到土牢,就开始感兴趣了。士兵带走火把后土牢重归黑暗。

作为一种习惯,泰山总是腰里缠一块缠腰布和一块豹皮。只是在马克西姆家里,为了礼貌他外加一件长袍和一双凉鞋。这天晚上当他和玛平古出门时,他穿上长袍却是为了掩人耳目。他被捕后,士兵把他的长袍扯掉了。所以,他这一身半赤裸的装束,自然引起没见过他的同房囚人的注意。所以,当士兵们走了以后,他旁边的白人就问他说:"你就是那位有名的白蛮人吗?你的声名我在这个监狱里就听说了。"

"我就是人猿泰山。"泰山回答说。

"听说你把苏布拉图斯顶在头上,抓出皇宫,并且嘲笑他的卫兵!"另一个人问道,"不过这一回苏布拉图斯会杀死你的。"

泰山对此没有回答。

"他们说你在树上跳蹿就像猴子一样。"另一个人继续问道,"那么你又怎么会让他们抓到呢?"

"我是被出卖了,而且在黑暗中,他们上来许多人,一下子就把我的手锁起来了。要不是为了这个,"他一面摇着腕上的锁链说,"他们就捉不到我。那么你是谁?又为什么被关在皇帝的土牢里?"

"我被关在土牢里不是皇帝的命令,如今坐在撒奎纳琉斯宫廷宝座上的不是皇帝。"

"那么谁是皇帝?"泰山问道。

"只有东部帝国的领袖才可以称作皇帝。"那个白人答道。

"我猜你不是撒奎纳琉斯军团的人。"泰山说。

"是的。"那个人回答说,"我从梅里军团来。"

"你因为什么事成了阶下囚?"

"因为我从梅里军团来。"

"这在撒奎纳琉斯军团是一项罪名？"泰山问道。

"我们两方一直敌对。"那个人回答说，"我们在休战时也进行贸易，因为有时他们有的东西我们需要，而我们有的东西他们也需要，但我们彼此间也常发生抢劫和战争。因此，如果在战争中一方胜利了，败方的东西会被劫走，不然就得被迫付出钱财的代价。"

"在这个不大的峡谷里，你们有什么东西是那边没有的，而那边又有什么东西是你们没有的？"

"我们梅里军团有铁矿。"另一个人回答说，"而且我们有生长草莎纸草的沼泽和湖面。草莎纸草能制造出很多东西，撒奎纳琉斯军团只能从我们那里获得。我们向他们出售铁、纸、墨水、蜗牛、鱼和宝石以及许多手工艺品。在他们这边的峡谷里有金矿，而且由于他们控制了峡谷的唯一出口，可以和外面联系，我们不得不从他们这里获得奴隶以及新的种畜，发展我们的畜群。"

这个白人继续说道："因为撒奎纳琉斯军团里有些人是天生的盗贼，而且这些人又懒于工作和不懂得如何教他们的奴仆去劳作生产东西，完全依赖他们的金矿和外面世界交易，许多世代以来只好用黄金向我们购买各种手工艺品。现在我们比撒奎纳琉斯更富有，生活得更好，因此撒奎纳琉斯对我们的嫉妒和憎恨也日益增加。"

"既然是这样，"泰山问道，"那为什么你还要到这个敌对国家来，还被他们抓起来了？"

"我之所以在这里，是因为我的叔父的阴谋。他是瓦里图斯，是东部的皇帝。"那个白人回答说，"我的名字叫卡修斯。我父亲是上一任的东部皇帝。瓦里图斯害怕我会得到皇位,所以密谋摆脱我,假装派给我一项军事任务,却又买通我的一个随从,预先通知苏布拉图斯说我是一个密探,我就这样落入苏布拉图斯的手中了。"

"那么苏布拉图斯会把你怎么办?"泰山问道。

"和你一样的办法吧!"卡修斯回答说,"在苏布拉图斯的登基日,我们将被拉出去展览,这种事他每年都举行一次,在竞技场,让土牢中的人互相杀戮,直到死光为止。"

"这事什么时候开始?"泰山问道。

"大概很快会举行的。"卡修斯说,"我看他们已经找到了足够多的囚犯参加角斗,因为现在同一间土牢都混杂着黑人和白人,一般来说他们都是分开的。"

"在这儿的黑人也要参加角斗?"泰山问道。

"是的。"

泰山转向鲁可迪。因为房间里太黑,泰山只能听到他的声音。

"鲁可迪!"

"什么事?"黑人无精打采地问道。

"你还好吗?"

"我要死了。"鲁可迪回答,"他们会把我喂狮子,或者把我烧死在十字架上,或者让我和别的武士打斗,总之这一切对我来说都差不多。总之从纳育托首领抓住泰山那一天起,我就没有好日子过了。"

"这里的黑人都是你们村子里来的吗?"泰山问道。

"不，"鲁可迪回答，"他们大部分都是撒奎纳琉斯军团城外的黑人。"

"昨天他们还说我们是自己人。"一个黑人插话说，大概他听得懂巴格哥话，所以他接着说，"明天他们就让我们互相杀戮，让皇帝当戏看。"

"你们一定人数很少或者胆小可怜，所以才屈从他们的摆布。"

"我们的人至少比城里的多一倍。"黑人说，"而且我们都是勇敢的武士。"

"那么你们都是傻子。"泰山说，"我们不能永远都当傻子。现在已经有不少人打算揭竿反对苏布拉图斯和撒奎纳琉斯城的白人了。"

"就是城里的黑人也和城外的黑人一样憎恶皇帝。"玛平古忽然说道。原来他也和泰山关在同一间土牢里。

这一番谈话给了泰山点子。他知道在城内有成百上千的黑奴，城外还有成千上万的黑人村庄。如果他们有一个领头人，皇帝的统治终将垮台。他把想法告诉了卡修斯·哈斯塔，但是这位贵族告诉他，大概不会出现这样的领袖。

"我们统治他们已经有很多个世纪。"他解释说，"害怕我们已经成为他们遗传的天性。我们的奴隶不会起来反对他们的主人。"

"如果他们有领袖呢？"泰山问道。

"除非他们有一个白人领袖，否则他们不会成功。"卡修斯回答说。

"那为什么没有可能出现一个白人领袖？"泰山追问道。

他们的谈话被一小队士兵的突然来临打断。他们停在门前，猛地把门推开。泰山从士兵火把的光亮中看到，他们又推进来一个囚犯。当这个人走近，泰山看清了竟然是马克西姆。马克西姆也认出了他。士兵把马克西姆锁在墙上以后走了出去，土牢里又恢复了黑暗。"我明白他们为什么把我抓了来。"马克西姆说，"他们抓住我的时候我还联系起法斯图斯今晚席间的举动，我就知道了。"

"我早就怕你因为我惹祸上身。"泰山说。

"不要责备自己。"马克西姆说，"法斯图斯或者苏布拉图斯还会找到别的借口，从法斯图斯看上狄莉克塔那一刻我就交上了噩运。他们为了达到目的，就一定要把我除掉。这就是全部原因。我的朋友，不干你的事！我只是奇怪谁出卖了我。"

"是我！"黑暗中一个声音大声说。

"谁在说话？"马克西姆问道。

"是玛平古。"泰山说，"他和我一块儿被捕，都是到迪翁家要去和你见面的路上。"

"和我见面？"马克西姆惊讶地说。

"我说了谎。"玛平古说，"是他们强迫我这样做的。"

"谁强迫你这样做？"马克西姆追问说。

"皇帝和他的儿子。"玛平古回答，"他们把我拉到皇宫里，把我按到地上，拿来钳子准备拉出我的舌头，又拿来烧红的铁棍准备烫瞎我的两眼。噢！主人，我还能有别的路吗？我只是一个可怜的奴仆，我真是很害怕，皇帝真是很可怕。"

"我明白。"马克西姆略显安慰的口气说,"我不会责怪你的,玛平古。"

"他们原来说要放了我。"这个奴仆说,"但他们却把我锁到土牢里。我肯定会死在竞技场上。这样死我倒不害怕了。钳出舌头,烫瞎眼睛可让我怕得很。除此以外还能有什么让我背叛朋友和主人!"

躺在土牢冷森森的石头上,泰山反而觉得有点舒适。因为他从出生到长大成人就艰苦备尝,所以这时泰山反倒呼呼大睡了好几个小时,直到狱卒来送饭,他已经发现太阳都升起老高了。伙食是开水和粗面包,每人一份,分量也不十分充足。狱卒是穿着军团制服的黑奴,板着面孔。

吃饭的时候,泰山观察了一下同室的人。这里有梅里军团已故老皇帝的儿子卡修斯(被他叔叔的阴谋送进来的);马克西姆,一个贵族,也是撒奎纳琉斯军团的军官;以及泰山,他已是这个监房里仅有的第三个白人。此外则是鲁可迪,在纳育托村给泰山送过牛奶的黑人;玛平古,迪翁家的仆人,会说巴格哥话,出卖过泰山。通过牢房的小栅栏窗户,泰山又看到了另一个巴格哥人,那个在纳育托村小屋门口当过卫兵的奥冈约。他到现在还以恐惧的目光看着泰山,以为他是先祖鬼魂的化身。

除了这三个黑人之外,还有五个身材高大、来自撒奎纳琉斯城外村庄的武士。选他们进来完全是因为他们强壮的体格,不久在角斗场中打斗时可以让观众有个看头。这都是为了庆祝皇帝登基纪念日准备的。

这间小屋里就挤进来白人、黑人共十一个,勉强可以让他们伸开腿。但是这里似乎还多余一个人的空间,墙上还空着一个铁环。

两天两夜缓缓地过去,这个小屋里的人尽量寻找他们自己的乐趣以打发日子。尽管都很气馁,但他们也还支撑着过日子,除了时不时都会表现出对未来的忧虑。

泰山一直在向牢友了解情况,特别是向五个黑人武士询问城外乡村的情形。长期和林中土著打交道的经历使他知道这些黑人的思乡情绪,因此泰山很快赢得了他们的信任,并且向他们灌输自信以增强他们的勇气。

泰山和马克西姆谈论撒奎纳琉斯军团,和卡修斯谈论梅里军团。泰山了解了他们的大典纪念、竞技赛会,以及他们人民的军事素养和法律习俗。

囚犯在小牢房挨到了第三天,又有一个人被关了进来。他是一个年轻的白人,穿着军官的束腰上衣,戴着胸甲。囚徒们见他进来都保持着沉默。这好像是大家的一种习惯,但当他被锁到墙上剩下的最后一个铁环上,带他进来的士兵都走了以后,卡修斯却激动地叫起来,似乎在祝贺他的到来:"麦塔卢斯,你也来了。"

听到喊他的声音,那个人向喊他的人看,他还不习惯牢房的黑暗,但这声音他是熟悉的。所以他回答说:"卡修斯!我知道这声音,可是我听这声音像是从地狱的深处发出来的一样。"

"是什么倒霉的厄运把我的好朋友和我弄到一起的?"卡修斯问道。

"没什么所谓的厄运。"麦塔卢斯回答。

"你得告诉我究竟发生了什么事!"

"从你走后发生了许多事,卡修斯。"麦塔卢斯回答,"福浦斯逐渐得到皇帝的信任,而且所有你从前的朋友都受到怀疑,处境危险。勒普斯进了监狱,他叔父法沃尼乌斯老人也失了宠。要不是福浦斯喜欢他女儿法沃尼娅,老人也可能进了监狱。但是我特别想告诉你的是瓦里图斯收养了福浦斯,而且宣布将是他的继承人,将来把皇帝的紫袍传给他。"

"贼眉鼠眼的福浦斯当皇帝?"卡修斯以嘲笑的口吻说,"那么漂亮的法沃尼娅也能看上福浦斯?"

"当然不!"麦塔卢斯说,"她喜欢另外的人,但福浦斯为了得到她,所以只好利用皇帝的忌妒心理,取得皇帝的欢心,然后打击一切阻碍他赢得法沃尼娅的人。"

"那么法沃尼娅喜欢谁?总不至于是她的堂兄勒普斯吧?"卡修斯问道。

"不,是一个陌生人。"麦塔卢斯回答,"这个人你不知道。"

"这怎么可能?!"卡修斯问道,"难道梅里军团里还有谁我不认识?"

"他不是梅里军团的人。"

"那么是撒奎纳琉斯人?"卡修斯追问道。

"也不是,他是一个蛮族头人,来自日耳曼。"

"这个人真能胡说,进峡谷只有经过撒奎纳琉斯一条路。"卡修斯反驳说。

"据湖上黑人说,他是从峡谷石壁上一条裂缝爬下来的。"麦塔卢斯说道,"他在你走后不久来的。他是个通晓罗马古代史和现代罗马情况的学者,得到了皇帝瓦里图斯的赏识,但是因为他和法沃尼娅相互爱慕，引起福浦斯的妒忌，给勒普斯、法沃尼乌斯老人甚至他自己都带来相当程度的灾难。"

"他叫什么名字？"卡修斯问道。

"他自称是埃里克·冯·哈本。"麦塔卢斯回答说。

"埃里克·冯·哈本吗？我知道他。"泰山听到这个名字后大惊，忙问，"他在哪儿？他安全吗？"

卡修斯转过头朝泰山的方向看了一眼说："撒奎纳琉斯人！你怎么会认识埃里克·冯·哈本？"

他又说："那福浦斯向瓦里图斯检举的话可能是真的□？这个埃里克·冯·哈本还真是撒奎纳琉斯军团的一个密探！"

"不！"马克西姆说，"埃里克·冯·哈本从来没有来过撒奎纳琉斯军团，我的这位朋友泰山也不是撒奎纳琉斯人。他也是一个来自外面世界的人，他到这里就是来寻找埃里克·冯·哈本的。"

"你完全可以相信这个故事，麦塔卢斯！"卡修斯说，"他们俩都是高尚的人。自从我们一块待在这土牢里，我们已经成了朋友，他对你说的都是事实。"

"那就快告诉我一些关于埃里克的情况吧。"泰山忙不迭地问，"他现在在哪儿？也陷入福浦斯的阴谋里了吗？"

"他现在和勒普斯一起都关在梅里军团的监狱里。"麦塔卢斯说，"就算他能幸免于这次灾难，福浦斯也会想出别的方法清除他的。"

"那么咱们的比斗什么时候举行？"泰山又问。

"这要看皇帝的决定。"卡修斯回答说。

"不！就在明天。"马克西姆纠正说。

"我们明天就知道了。"卡修斯说,"明天是苏布拉图斯取得胜利的纪念日。"

"我听说这比斗要持续一个星期。"泰山说,接着又问道,"从这里到梅里军团有多远?"

"大约要快走八个小时。"卡修斯回答,"难道你计划去梅里军团吗?"

泰山注意到别人的微笑,也听出他们的话里开玩笑的意味,所以他回答:"我是要到梅里军团去一趟。"

"你要带我们一起走吗?"麦塔卢斯大笑着说。

"你是埃里克的朋友吗?"泰山问道。

"我是他朋友的朋友,也是他敌人的敌人。但我对他了解不多,怕不能称之为他的朋友。"

泰山又问:"那么你是不喜欢瓦里图斯·奥古斯都皇帝啦?"

"是的。"麦塔卢斯回答说。

"卡修斯你也不喜欢你那个皇帝叔叔,是吗?"泰山问卡修斯。

"你说得对。"卡修斯说。

"我可能会把你们两人都带上。"泰山说。

这两人听了大笑起来。

"我们随时准备跟你一块儿走,就看你准备什么时候带我们走了。"卡修斯说。

"你也要把我算上。"马克西姆说,"如果卡修斯在梅里军团把我们都当朋友对待的话。"

"这我保证,马克西姆!"卡修斯回答。

"我们什么时候走?"麦塔卢斯摇着他的锁链说。

"打开这个锁链的那一刻,"泰山说,"而这是他们一定会做的,因为他们会让我到竞技场上去。"

"那时一定会有许多士兵,你逃不掉,你能保证可以逃掉吗?"卡修斯提醒他。

"马克西姆可以告诉你,我曾两次从苏布拉图斯士兵的手中逃脱。"泰山说。

"他曾这样做过。"马克西姆肯定地说,"在皇帝的卫兵中,他从皇宫大殿上顶着皇帝,走出皇宫到大街上逃走。"

"但是如果带上你们,那就困难多了。"泰山说,"但我一定会带上你,这会让我有彻底挫败苏布拉图斯的快感。而且你们俩可以帮助我在梅里城找到埃里克·冯·哈本。"

"你很有意思,"卡修斯说,"我甚至有些相信你能完成这件近似疯狂的计划了。"

十四
初试身手

雄壮的朝阳升上了万里无云的天空，召唤八月中旬罗马历祈祷日的来临。烈日俯瞰着空旷竞技场上新耙平的细沙，也无情地照射着把撒奎纳琉斯军团截然分成黑白两部分的人群。

褐色皮肤的工匠和商人穿着他们绣花的束装上衣，彼此抢占大道上有利的荫凉摆设摊位。他们中间穿插着一些来自城外甚至山外的蛮人，炫耀着五光十色的羽饰以及身上光彩夺目的珠宝。他们中间也混杂着一些城中贵族之家的黑人奴仆，穿来走去替主人购物。所有的人都在等待着苏布拉图斯皇帝登基大典纪念日盛会的召开。

不少贵族在他们的低屋顶上铺好毯子倚坐着，通过树枝叶空隙，观看大街上热闹的情形。可以说撒奎纳琉斯军团所有可看的热闹景象都聚集在这里了。与其说人们是为了祝贺皇帝，不如说是为了自娱自乐和看热闹。

空气里充满了嘈杂的讲话和嘻笑声。沿街叫卖甜食的小贩和贩杂货、小装饰品以及针头线脑的货郎，在拥挤的人群中，推搡着寻找他们的主顾和向前去的路。好像整个撒奎纳琉斯军团的人都同时来到了这里一样，只有从皇宫通向大剧场的大路中央,被三步一岗五步一哨的士兵清开了一条空无人迹的窄路,以便皇帝和随行的官员们通行。

其实从头几天人们就开始聚集。到了夜晚天凉了,留在路边的人群只好收紧他们的衣衫。大街上聚集的人群,无论白天黑夜总免不了吵吵嚷嚷,最终甚至引起争吵或纠纷,于是有的就被拉进土牢,在冰冷的石板地上,给他们发热的头脑降降温。

当清晨降临,夜晚略显平静的人群就又恢复他们白天的精力。首先是一些贵族老爷和贵妇人们,在盛会的游行队伍中乘坐他们装饰华丽的轿子通过,受到人们的欣赏和钦羡。如果他们中谁是众所周知受人尊敬的尊贵者,他将受到群众的欢呼和祝贺。但随着时间的流逝,天气的燥热,群众对轿子经过引起的拥挤,也开始时不时发出不满的嘘声和抱怨。

就在这时,从远处宫殿的方向,响起了军号声。人们一下子像忘掉了他们的疲劳和烦躁,刺耳的音符刺激着他们的情绪,进入预期的兴奋和欢乐。

慢慢地沿着大街走来游行的队伍。队伍最前面的是一队二十人的号兵。紧跟在他们后面的是一队皇宫的卫队。他们盔帽上的羽饰在空中摇摆,二百多套闪亮的胸甲、长矛和盾牌,反射着阳光,发生耀眼的光芒。他们造成一种威武的气势,大步齐整昂首挺胸地在路两旁观众钦羡的目光中穿行。他们的贵族队长们,走在队伍的最前面,穿着金碧辉煌并有金锈线的亚麻布笔挺的服装,身上还装佩着耀眼的饰物。

当军队走过之后。路旁观众中响起了地动山摇的欢呼声,实际更像是一种人类的怒吼。这时沿着大道缓缓走来,朝大竞技场方向去的正是皇帝的车驾。他的座驾是一架装饰着金黄和紫色的四轮车，由狮子们在驯狮人的驱赶下前进。

皇帝当然希望路旁观众的喝彩声是为他而发出的。但是，观众的喝彩声究竟是为了皇帝，还是为了锁在皇帝车后那一长串的俘虏，谁都很难判断，因为对于皇帝，这仪式已是撒奎纳琉斯军团的老套路了。但这些囚徒却使观众感到新奇，而且他们约定将在随后的竞技场上进行角力比赛。

对于撒奎纳琉斯军团的民众来说，在他们过去的记忆中，还从来没有一个撒奎纳琉斯皇帝在他的庆典中展示过如此值得注意的俘虏群。这里有巴格哥村的村长纳育托，有东部梅里军团的百夫长，在那里他是皇帝的亲侄子。但是更引人注意和同情的是在最近广泛流传近似疯狂的故事中，那个力大无穷、智力超凡、身手敏捷的高大白人，他有着一头蓬乱的黑发和一张穿旧了的豹皮。

带有金色光泽的项圈把他锁在皇帝四轮车驾的后面，稀奇的是他没有透露出一丝一毫恐惧或者屈辱的表情。他高视阔步、安逸自然地走在车驾后面，简直像一头狮子和它的同伴们走在一起，沿着撒奎纳琉斯城的大道毫不在意地向前走去。

游行的队伍不停地走向大剧场，人们也发现了除泰山之外引起他们注意的事。这里有巴格哥人的俘虏，锁链锁在脖子上，一个串着一个。他们中有许多高大结实的角斗士，穿着辉煌灿烂的盔甲，他们中不时也夹杂着少数的白人、褐色人，以及来自外面村庄的混血人和黑人。

大约二百人在行进着，他们包括俘虏、判刑的罪犯和职业的角斗士,他们的前后左右都有手执兵刃的兵士。他们的出现直截了当地表示,这些野蛮战斗者的生死都掌握在皇帝手上。

彩车上绘出的是撒奎纳琉斯军团和古罗马帝国的历史长卷。贵族、官员和元老的轿子由牛羊一般的巴格哥人抬着缓步前行。

撒奎纳琉斯皇帝并没有拿马克西姆当展示品。狄莉克塔在她家的屋顶上热切地期盼着她的爱人,然而令她失望的是,这位出身高贵的年轻人没有出现。她知道有的人一旦进入皇帝的土牢,就再没有了消息。目前为止始终没有人告诉她马克西姆的生死,所以她决定陪着母亲到大剧场去看一看比赛。她的心情非常矛盾,害怕看到马克西姆血染黄沙,但又害怕在那里见不到他,那意味着他已被法斯图斯暗中杀害。

人群都聚集在大剧场观看皇帝入场式的壮丽场面,但大部分人却留在他们的座位上等待比赛开始。比赛一到下午就开始,给贵族预留的区域已经坐满了人。

元老迪翁坐在自己的包厢里,靠近皇帝。这里有很好的视野观察竞技场。所有的包厢里都有舒适的坐垫和毛毯,设备良好,为到这里的人提供最舒适的条件。

从来还没有一个皇帝尝试炫耀过这样一个庆典,以极罕见的盛大场面给予他幸运的臣民。但是这一切对于狄莉克塔来说却正好相反,还从来没有一件事像即将举行的竞赛这样引起她的恐惧和憎恶。

以前她对竞技比赛都无动于衷,因为这与她个人的利害不发生任何联系。角斗士和奴隶的竞技对她来说与任何动物之间的厮打没有多少区别,对于那些参与角斗的罪人,她觉得这给了他们一个赎罪的机会,至多引起微弱的同情。

但是今天,她却觉得恐惧,这里的比赛是对她爱人生命和自己幸福的威胁。她并没有流露出任何不安。她镇定、安详、平静而美丽,等待着皇帝的到场和比赛开始的信号。

苏布拉图斯皇帝终于来了。他就座以后,从剧场的一个入口走出一队由号兵引领的一部分竞技者。他们大部分曾出现于今于上午大街上的游行队伍,现在又增加了一些野兽。他们或被奴隶们牵着,或被引领着走在前面,而一些更凶猛的野兽被装在带轮子的笼中,跟在队伍后面,有狮子、猎豹、一对凶猛的野牛,几只像巨人一样的大猿。

这部分角斗士面向苏布拉图斯站住,聆听皇帝的训示,并许诺胜利者可以得到自由或者报酬。听众以沉闷的低调应对苏布拉图斯的恩典。

狄莉克塔全神贯注地搜寻着台下角斗士的面孔,但始终没有找到马克西姆的踪影。她向前依靠在包厢的前墙上,呼吸急促,心中充满了恐惧的猜想。正在这时,一个人跨进了她家的包厢说:"他不在这里。"

女孩迅速转身朝着进来者,不由得喊道:"法斯图斯!"

她立即追问道:"你怎么知道他不在这里?"

"那是我的命令。"这个不久前荣升为王子的人回答。

"他死了吗?"狄莉克塔惊恐地问道,"你杀死了他?"

"不!"法斯图斯说,"他安全地在牢房里。"

"那你们要把他怎样?"

"他的命运掌握在你手里。"法斯图斯回答,并继续说道,"放弃他,并且答应做法斯图斯的妻子,我就不会让他参加这次竞赛,他也不会出现在竞技场上。"

"他决不会让你得逞的。"女子斩钉截铁地说。

法斯图斯耸耸肩:"随你的便。但是记住,他的生命是掌握在你手里。"

"只要有刀、剑、匕首和长矛,他就无人能敌。"女子说道,"就算参加角斗,他也会是胜利者。"

"大家都知道皇帝常让赤手空拳的人与狮子格斗。"法斯图斯嘲笑地提醒她说,"这时最有用的武器不就是英勇无畏吗?"

"这简直就是谋杀。"狄莉克塔说。

"这对皇帝的行为是一种很不恰当的说法。"

"不管是不是皇帝,这是一种胆怯、卑鄙的行为。我相信皇帝决不会干这种事,他的儿子会干这种坏事吗?"她的声音有些颤抖,带着尖刻的鄙视。

嘴角挂着不满的微笑,法斯图斯站起来。"这不是一个不需深思熟虑就能作出的决定。"他说,"你的答复涉及的不仅是马克西姆,不仅是你和我。"

"你这是什么意思?"她问道。

"这里面还有迪翁、你母亲,甚至菲蒂斯塔,马克西姆的母亲!"警告后他转身离开了包厢。

比赛在军号的喧闹声、武器的撞击声、野兽的吼叫声以及广大观众的吵嚷中进行着。这种战斗有时在观众中引起高亢的欢呼喝彩,有时又响起低哑的同情声,或不满的嘘声。千百双眼睛盯着竞赛场地不时出现的斑斑血迹,在不少观众看来,这似乎都是寻常事,根本无动于衷。不久这些可怖的痕迹就被新的黄沙覆盖、耙平。人们的同情似乎已经麻木不仁了。

苏布拉图斯皇帝会用较长时间精心安排节目,为的是可以提供贵族和百姓最大的娱乐性,借以提升超越他真实能力的帝国的声望。

一般情况下,容易博起兴趣的是贵族间的争斗,所以苏布拉图斯就计划充分利用卡修斯和麦塔卢斯这两个人。但是要达成这个目的,他认为更有价值的是那个白人,因为这个白蛮人激起了观众很大的兴趣。

为了让泰山尽可能参与多场角斗,苏布拉图斯决定把最危险的人物都保留到本周最后。第一天下午的终场前,泰山发现自己被赤手空拳推进了竞技场,和他同时进来的是一个身材魁梧的杀手。这个人也一块缠腰布和一张豹皮的打扮,和泰山相仿。

卫兵引导他们穿过竞技场停在苏布拉图斯包厢前面的沙地上。在这里竞赛的裁判宣称这是一场徒手比武,最后谁单独留在赛场或者活着就表示他是胜利者。

"土牢的门会一直开着。"竞技裁判宣布,"如果竞技的任何一方自感招架不住,可以回土牢,但是竞赛的奖金就全归另一方。"

观众发出了讥笑声,因为从来没见过这样沉闷不流血的比赛。他们寻求刺激,这显然是一场无聊的比赛。不过也有人在等待,认为这场比赛可能是某种可笑的滑稽戏,没准也会让人大笑一场。因为如果比赛的两者实力相差悬殊,那么差的一方会寻求逃跑,这场比赛就会变成一场前所未有的喜剧。那这时的观众就会为比赛双方喝彩,并更有可能为组织这场比赛的贵族老爷喝倒彩,因为他们觉得这是一场几近滑稽的闹剧。

比赛发出了开始的号令,泰山转身面对那个粗壮的角斗士。只见他敦实有力,肌肉发达,就好像是站立在花岗岩石基上的一尊铜像那样牢实与稳定。泰山甚至觉得自己的块头还略败下风。这人正围着泰山转圈,寻找破绽准备进攻。他皱着眉露出残忍嗜血的样子,好像不用交手,他的对手就会被吓跑。

"那里有门,蛮子!"他用一种低沉的声音叫喊着,并指着远处竞技场的门说,"逃跑吧!趁着你还活着。"

观众这时吼了起来,似在赞赏他的勇气,他这句挑衅的俏皮话颇受人们的欣赏。

他接着又说:"我要彻底把你撕碎,胳膊腿都不留。"观众听了又是一阵兴奋和期待的笑声。

"我在这儿等着你!"泰山镇定地回答说。

"快逃跑吧!"对手声嘶力竭地大声喊叫,接着他低下头,像一头发怒的公牛那样向泰山冲去。

泰山看他冲来,迎上前去,飞身一纵。事情发生得非常迅速,只是一眨眼的工夫,对手已经跌倒在地,不停地哼哼乱叫起来。没人看见他用的是何种方法,只有泰山心下了然,自己只不过是使了一记锁喉手而已。

观众看到泰山的对手莫名其妙地躺在地上,不住地哼叫。泰山站在旁边,两手抱在胸前。对手一面在地上挣扎着翘趄,一面晃着脑袋想使自己清醒一下,半响之后,竟然跟跟跄跄地站了起来。

不少观众离开坐垫站了起来,他们很快把支持投向泰山,无数只手握起拳头伸出拇指朝着泰山喊道:"加油!加油!干掉他!"

刚刚爬起来站稳的角斗手,东张西望地在寻找泰山,当他终于看到泰山时,嘴里发出愤怒的咆哮,又向泰山冲来,泰山只是轻轻一侧身,躲过他的袭击,从背后又是狠狠地一击,他这次毫无还击之力,扑腾一声重重地跌倒在地。

观众一起欢呼起来,他们都希望泰山彻底地把对手干掉。但是泰山却转向皇帝的包厢,总裁判和苏布拉图斯坐在一起。

"这样还不够吗?"泰山指着地上已经晕过去的角斗士问道。

裁判官摆了摆手说:"大家都要求你杀死他,如果他仍然活着留在竞技场,你就不算胜利者。"

"难道皇帝也要求我杀死一个已经毫无抵抗能力的人吗?"泰山直视着苏布拉图斯的脸问道。

"你已经听到了高贵的裁判官的话了,竞技场里只有你一个活人,才算胜利。"皇帝傲慢地回答说。

"好的!"泰山说,"我会遵守竞争的规则的!但现今的文明世界是不杀俘虏和这样失去知觉的对手的。"他一边大声说着一边弯下身去,抓起他对手绵软无力的身体,举过他的头顶高声喊道:"就这样!我曾把你们的皇帝老倌从皇宫举到大街上,然后我就此脱身!"

观众快乐的高声喊叫表明了人们对这件事的评价。苏布拉图斯气得脸色一阵红一阵白,说不出话来。他从座位上半站起来,但他究竟想干什么连他自己也不清楚,而正在这时泰山抓住角斗士的身体用力向上抛了出去，他的身体直接飞过了看台前的短墙，飞进苏布拉图斯的包厢，把刚从座位上站起来一半的皇砸了一个跟头跌在地上，角斗士的身体又正好压在他的身上，皇帝成了角斗士身下的一个活肉垫。

"我还活着，而且只有我一个在竞技场，那么按规则我是胜利者了。"然后泰山转身，向正在为刚才那一幕哄笑不止的观众们重复了上面这句话。接着，他在观众的欢呼叫好和鼓掌声中，向通向土牢的剧场大门走去。

十五
再赴杀场

在大剧场的土牢小屋里,人们得不到很好的休息。老鼠和虱子时时搅扰着这里人们的睡眠。白天传来的尽是竞技场上流血的消息。本来与泰山同室居住的有十一个人。可是现在已经出现了三个空位。锁他们的三只铁环已经空了,在墙上随风悠荡,有时碰到墙上发出叮当的声响。像是为不归者敲响的丧钟。每天这里的人都在盘算今天又该轮到谁成为不归者。

其他的人并没有责备泰山的意思,因为永远不回来的人并不是因为泰山的失误,他只是无法找到机会。大家也并不把他的乐观主义看得多么重要。大家也想不出更好的办法在比赛时集体逃亡。大家没有听说过去有人这样做过,将来也未必有这种可能。

"我们知道你是好意。"马克西姆对泰山说,"而我们是当地人,了解得也许比你多一点。"

"什么时间最适合?"卡修斯问道,"差不多有一半武士都埋伏在大剧场里,我们怎样能找到这样的机会?"

"总会有机会的。"泰山提醒他说,"当所有的胜利者都聚集在竞技场上时,我们的机会就来了。我们可以冲进皇帝的包厢,把他拉到竞技场上,用他做人质,我们可以对他进行审讯,我大胆地说,他们会因此给我们自由作交换,放回皇帝。"

"但是我们怎么能够冲进皇帝的包厢?"麦塔卢斯夹进来问道。

"我们可能在一瞬间搭成人梯,就是一个人一个人地弯下腰,一个人踏在另一个人的肩上,就像士兵搭成人梯那样,但一定要迅速,让他们猝不及防,最后就可以进到皇帝的包厢,然后可以把他揪到竞技场上,逼他答应我们的条件。我敢说我们会成功的,尽管我们中也许有人会牺牲,但绝大多数会成功的。"

"我希望你们会幸运。"马克西姆说,"上帝保佑,我相信你们会成功,我希望我能跟你们一起。"

"难道你会不跟我们一起吗?"泰山吃惊地问道。

"我能吗?我会一直被锁在小屋里。显然,他们并不想让我参加比赛!他们留着我有另外的目的。狱卒已经告诉过我,我的名字不在比赛名单上。"

"但是我们必须想法让你和我们一起。"泰山说。

"恐怕没有办法让我和你们一起。"马克西姆边摇头边悲观地说。

"等等!"泰山说,"你曾经领导过大剧场的卫兵,不是吗?"

"是的。"马克西姆回答说。

"那么,你肯定有过小屋的钥匙?"人猿问道。

"是的。"马克西姆说,"而且还有这些锁在墙上的手铐的钥匙。"

"那么它们在哪儿?"泰山问道,"不行,这恐怕不行,你被捉时一定把钥匙交还给他们了。"

"不！没有还给他们。"马克西姆说,"事实上,在我换衣服去参加宴会时,我把它们放在家里了。"

"那么他们后来会去你家找钥匙的。"

"是的,他们去找过,但是他们没有找到。狱卒问过我,我告诉他们在我被捉时,士兵把它从我这里拿走了。事实上我把它们藏到一个稳妥的地方了。而且和我的贵重物品藏在一起。我知道如果我告诉他们钥匙在哪儿,他们会连我的贵重物品一起拿走。"

"好极了！"人猿喊道,"有了这串钥匙我们的问题就解决了。"

"可是你怎样去拿到它们？"马克西姆哭笑不得地说。

"我现在还没想好。"泰山说,"但是我相信只要你没交给他们,我们就有办法拿到它。"

"我们相信,我们一定会自由的。"卡修斯说,"但是相信不等于就会自由。"

他们的谈话突然被沿着走廊走近的士兵打断,一队宫廷卫士来到小屋的外面。狱卒打开了门锁,一个人走了进来,他后面有两个手持火把的人。他是法斯图斯。

他朝房间里扫了一眼说:"马克西姆在哪？"他问道,但没有人回答他。"啊,你在这儿！"

马克西姆没有理睬他。

"站起来,奴隶们！"法斯图斯傲慢地下令说,"站起来,你们全体,你们怎么敢在皇帝面前这样！"他大叫道。

"猪仔,是最适合你的称号。"马克西姆嘲笑说。

"把他们给我拉起来,用你们的矛杆揍他们!"法斯图斯对他带来的门外的宫廷卫士们说。

这时站在他身后的大剧场守卫士兵的长官,"砰"的一声把小屋的门关上了,对外面的宫廷卫士喝令说:"向后站!"接着说,"在这里只有皇帝和我有权发号施令,而你现在还不是皇帝。法斯图斯!"

"我总有一天是,"法斯图斯怒气冲冲地说,"到那一天你就该倒霉了。"

"到那一天将是全撒奎纳琉斯军团的人倒霉的日子。"牢狱官员回答说,"你不是有话要对马克西姆说吗?要说什么快说,说完了就请走!"

法斯图斯气得发抖,但是他也知道他现在还没有权力。这里的司令官即典狱长是代表皇帝行使权力的。他也只好转而对马克西姆说道:"我来是邀请我的好友马克西姆参加我的婚礼的。"法斯图斯宣布说,带着嘲笑,他等着回答。但是马克西姆什么也没有说。"你似乎没有什么感觉,马克西姆,"法斯图斯继续说道,"你没有问谁是那位幸福的新娘,你也不想知道谁是未来的撒奎纳琉斯军团的皇后吗?尽管你现在这样,你也不想看到她将坐在未来皇帝的旁边吗?"

马克西姆内心非常镇静,因为他现在已经明白法斯图斯为什么要到土牢的小屋来了。他一点也不想表现出自己现在心里在想些什么,所以,他仍然坐在坚硬的地上背倚着石墙。

"你也不想问一问,我要跟谁结婚,什么时候结婚?"法斯图斯继续说道,"但是我得告诉你,你一定会感兴趣的。是狄莉克塔,是迪翁老参议员的女儿,她不会嫁给一个对皇帝不忠的人或者一个重罪犯。她渴望分享皇帝紫袍的荣耀,比赛后的第二天晚上,狄莉克塔和法斯图斯将在皇宫里结婚。"

说完了这些,他心满意足地等待他刚刚宣布的事的后果,但是他希望看到的马克西姆的懊恼表情,却完全没有出现。这位年轻的贵族显出一种漠不关心的样子,好像法斯图斯根本就不存在,而且小屋里几乎所有的人,都表现出对法斯图斯毫不在意的神情。

马克西姆反转身和麦塔卢斯聊起不相干的事来。这种完全漠视法斯图斯存在的态度惹起法斯图斯控制不住的愤怒。他迈步走上前来,举起手来就要掴马克西姆的脸。但是他走得离泰山太近了,他举起的手还没来得及落下去,冷不防被泰山抓住了他的脚踝,猛一拉,就把他拉翻在地,他杀猪一样地尖叫起来。接着泰山就把他身上带的匕首、佩剑等武器都扯下来扔得远远的。他躺在地上,一面哼哼,一面尖叫他带来的宫廷卫士。

这时站在门口的狱官发话说:"出去!法斯图斯!你在这儿已经惹了许多麻烦。"

"我要让你们对此付出代价。"他一面一瘸一拐地哼哼着向外走一面发狠地说。大家听了,不由得都笑起来。法斯图斯走出门外,一个宫廷士兵才把他扶走了。

人们都走了以后,卡修斯嘿嘿地笑着说:"皇帝?笨猪一个!"

正当小牢房里的人在讨论着,他们给予法斯图斯难堪会有什么后果时,他们看到从走廊的远处,正有一线灯光闪耀着移近。

"我们这里又有客人来了。"麦塔卢斯说道。

"或者是法斯图斯回来骂泰山的吧!"卡修斯猜测说,大家听了都笑起来。

灯光一直顺着走廊走来,但是并没有听到很多士兵的脚步声。

"来的是谁?听不到很多人的脚步声,似乎并没有士兵跟了来。"卡修斯说。

"那么来的肯定不是法斯图斯。"卡修斯继续说。

"也可能是他派了一个刺客来。"马克西姆猜测说。

"那么我们得准备好。"泰山说。

不大一会儿在囚室格栅门外出现了大剧场土牢的狱官,他就是不久前陪法斯图斯来过的那位。他站在来人和室内的囚徒之间。

"爱皮乌斯!"马克西姆叫起来说,"他不是刺客,他是我的好朋友。"

"我不是你身体的刺客,马克西姆,"爱皮乌斯说,"但我实际上是你幸福的刺客。我给你带来了坏消息。"

"你是什么意思,我的朋友?"马克西姆问道。

"法斯图斯在气愤中,告诉我的比告诉你的多。"

"他告诉你些什么?"马克西姆问道。

"他告诉我狄莉克塔答应成为他的妻子,但条件是保全她的父母和你及你的母亲菲蒂斯塔。"

"叫他猪猡,就是要刺伤这只猪猡!"马克西姆气愤地说,"给狄莉克塔带话去,爱皮乌斯,我宁愿死,也不愿看到她嫁给法斯图斯。"

"她知道这些,我的朋友。"爱皮乌斯说,"但是她还得考虑她的父母和你的母亲。"

马克西姆愣了好一会,最后叹了口气说:"我忘记这些了。"他有些抽泣地说:"应该会有什么办法阻止这件事。"

"但他是皇帝的儿子。"爱皮乌斯提醒说,"况且时间也很紧迫了。"

"这我都知道,我都知道!"马克西姆大声叫道,"这太令人厌恶了,这事不该这样。"

"这位官员是你的朋友吗?马克西姆?"泰山忽然插进来问道。

"是的。"马克西姆回答说。

"你完全可以相信他吗?"泰山又追问道。

"以我的生命和我的荣誉担保,他是可信的。"

"那你就告诉他,你的钥匙在哪?而且让他找出来带给你!"人猿说。

马克西姆一下子恍然大悟说:"我怎么没想到这一点。"他叫道。但是转瞬他又说:"啊不!这样他就会有生命危险。"

"已经是这样了。"爱皮乌斯说,"法斯图斯不会忘记,也不会宽恕我今天来告诉你这些消息。你是知道的,马克西姆,我是注定也要倒霉的。那么你想要什么钥匙?它们在哪儿?我会找出来拿给你。"

"可能你不知道它们在哪儿!"马克西姆说。

"可是我可以猜,可以找嘛!"爱皮乌斯说。

"你是常到我住的屋子里去的,不是吗?"马克西姆问道,"你记得靠窗有个书架吗?"

"是的。""第三格的格板背后,有些向墙面倾斜,在书的后面,你能摸到一串钥匙。"

"好的!马克西姆,你一定会得到它们。"官员爱皮乌斯说道。

爱皮乌斯说完就走了。大家一直看着爱皮乌斯的灯光在走廊的尽头消失。

最后一周比赛的最后一天终于来了。嗜血的群众再一次聚集起来,将去经历一场新的前所未有的刺激。观众已经将他们记忆中的一切都消化得干干净净。就像竞技场上已扫清了昨天血污的旧沙,换上了新沙一样。

在最后的时间中,小屋里的人被带到竞技场的入口处一座围墙内。他们生活得还好,因为十二个锁环只空了四个。

马克西姆一个人留在后面。"再见吧!"他说,"今天活着的人就可以得到自由,我们可能彼此再见不到了。祝你们幸运,而且上帝会给你们勇气,使你们的手臂更有力更有技巧。这就是我能说的全部。"

泰山显得有点烦躁地说:"如果你能和我们一起出去,我们还要那串钥匙干什么?"

从这座他们被囚禁的城内,泰山和他们的伙伴们可以听到竞技场和外面看台上人声鼎沸,也可以听到外面的争斗声、呻吟声、喝斥声以及观众的喝彩声、惋惜声,但是他们却看不到外面竞技场地上的情况。

这座围城实际是一间很大的房子,在墙的高处有带格栅的窗子。所以,有时出去两个人,有时出去四个或六个人。但回来的却往往是一个人,两个人,或三个人。也就是说有的人永远都回不来了。这种情况对于那些尚未被叫到的人来说,简直是一种足以令人疯狂的威胁,因为这时的拖延变得让人非常不安。他们中有的人变得歇斯底里起来,也有人突然就与同室的人争吵起来,甚至有人想自杀。但是这里有很多守卫士兵,而囚徒们却都是赤手空拳。只有当他们离开这里即将进入竞技场时,才发给他们武器。

这天下午将近结束。麦塔卢斯正与一个斗剑士交手,卡修斯和泰山都听到外面观众的叫喊声。他们听到一阵一阵地喝彩声,这表示比赛的人正进行着一轮一轮技巧或勇敢的战斗。这时外面有时突然出现一阵安静,然后又是大声的呼喊:"加油!加油!"

"大概快完了吧!"卡修斯小声说。

泰山没有回答。他开始喜欢这些人,因为他发现他们勇敢、单纯而且忠诚,所以他内心里对这些参加竞技的人,不由得产生一种对他们生命的关切,尤其对参加竞技的朋友们,但是他却把自己内心的焦虑隐藏得深深的。这时卡修斯却不安地在地上走来走去。人猿泰山站在那里一声不响,两手抱在胸前,注视着门口。过了一会儿门开了,麦塔卢斯走了进来。

卡修斯不由得高兴地叫了起来,跳起来上前拥抱住他的朋友。

就在这时门又甩开了,一个较低级的官员进来说:"快点!"他叫道,"你们所有没出场的人,都参加最后的比赛项目。"

来到大房子外面,有人给了每个人一把剑、匕首、长矛和盾牌,还有一张大麻线织的网。每个人都拿到这样一份装备。就这样他们被推向竞技场。所有一周来没有上场的或竞争后生存下来的都在这儿,有一百多人。

他们被分成对等的两组,一组肩上系一根红带,一组肩上系一根白带。

泰山是在红带的一组,这一组还有他的新旧朋友,有卡修斯、麦塔卢斯、鲁可迪、玛平古、奥冈约等人。

"他们这是要我们干什么?"泰山问卡修斯说。

"红方要和白方战斗,直到红方把白方杀光,或者是白方把红方杀光为止。"

"他们是想看到一方的血都流光才感到满足?!"泰山说。

"他们也许还会有别的花样,他们可能永远不会满足。"麦塔卢斯说。

泰山脸上带着微笑,考虑手中的武器,他将用它们来防卫自己。"矛"他是很熟悉的,因为他和他的瓦齐里武士们用它已用得十分熟练了。至于匕首,他使用起来更是得心应手。猎刀,则是他父亲曾经留给他的防身武器,只是如今却是久违了。西班牙弯刀,他感到与其说是不利的因素,毋宁说是一种累赘。只有那张网,对他来说简直是一种玩具或工具,而绝非一种武器。他很想扔掉他的盾牌,因为他不喜欢盾牌,但是他以前确实用过它们,尤其当他和他的瓦齐里人一道与别的部族作战的时候。而且当时他确实感到用它对付他的对手曾经是很有用的一种防御武器,所以他留下了它。现在他和其他的红色带子的人一道向白方阵线冲去。泰山曾经预先告诫他这一方的人,第一次攻击要尽可能多地消灭对手。这一告诫他传告给他这一方的每个人,并且告诉他们一旦消灭了一个对手,就要立刻转向帮助距自己最近的红方的一个人,或者立刻帮助最近的处境危险的人。

当两方的阵线逐渐接近,每个人都选定了迎面而来的对手。泰山发现自己对面是一个来自城外乡村的武士。在双方的队伍中,有的人很激动或勇气十足,而有的人则胆怯落后,畏缩迟疑。泰山的对手正挥舞一根长矛冲上来。这时泰山和对方的武士都几乎同时投掷出他们的长矛,泰山的投掷是那样的有力、那样的准确,以至于长矛不但戳穿了盾牌,并且直接戳进了对方的心脏,而对方的长矛则被泰山挡开了。

现在对方已经有两人倒下了。一个被杀,一个受伤。此时大剧场人声嘈杂。泰山很快去帮助他这一方的其他的人,但是另一个白方的人,当他打败一个红方的人后,也来应战泰山。泰山对那张网,一直觉得全无作用,现在却把它朝一个正要与红方的人战斗的人扔了过去。这个人大概是一个经过训练的人,泰山以为这是一个用出全力和机敏才能战胜的对手。

这个人并没有任何急促的行动,相反,却表现出谨慎行事。他并不鲁莽,而是时时要保全自己的生命。他要摸清泰山的路数,但泰山并没有什么路数。对手毫不顾及场外的叫嚣和嘲弄,他很快就发现泰山似乎正处处在使用防守战术。但泰山究竟是摸清了对手,还是为以后看准机会再发起突然的进攻,这个角斗士一时还猜不出。他只知道要特别小心。

他通过自己用盾牌的技术,逐渐了解泰山使用刀的路数。这位角斗士是一个高手,所以他耐心地等待泰山的失误,但是泰山从来就不讲什么招数和架式,特别是与这个角斗士相比,他只是等待一个对他幸运的进攻机会,以便战胜这个机警而且技术高超的刀客,然而这个角斗士却一直没露出任何漏洞。泰山这时也希望自己的一方能有人来帮助他,就在这时,冷不防一张网从后面落到了他的肩上。

十六
喋血黄沙

卡修斯一刀劈了他对面一个窃贼模样的对手以后，立即转身寻找另外的对手，他看到一个白方的人正把一张网套在泰山的头上，而这时泰山正和一个角斗士交手。卡修斯大喝一声，接过原和泰山交手的角斗士发来的招数。泰山看到这种情况，立刻转身寻找给他扣网的对手。

原与泰山交手的角斗士，发现卡修斯是一个完全不同于泰山的人。大概由于使用盾牌不是太娴熟，他也不如泰山那么有力气，但他却是一个角斗士中极少有的刀客。

观众早已经对泰山有了深刻的印象，从竞赛一开始，泰山高大的身材、半裸的身体，以及斜披的豹皮，都与别人截然不同。观众都注意到他一枪就刺穿了盾牌，并穿进了对手的心脏这一迅猛战术。他们也注意到了白方一个角斗士，但接下来这场战斗却使观众感到不够刺激，因为中途易手，泰山转而对付他背后这个拿网的对手去了。观众因此发出了叫嚣和嘘声。当他们看到白方这个人把网从背后扣在泰山头上，他们曾高兴得吼叫起来。因为观众根本不知道接下来是什么后果，他们只看到泰山被扣在网中。

当泰山在网中撕扯，转身对着这个向他扣网的新的对手时，这个人手中拿着一把匕首,跳过来想结果泰山的性命。想不到泰山把网像撕一张纸一样三把两把扯碎,接着把烂网扔到一边,迅即一把抓住了对方拿匕首的手腕。这时对方的匕首已划破了泰山的皮肤,鲜血正从他披着的豹皮下流出来,差一点就插进了泰山的心脏。此时泰山抓住对方手腕的手一用力,对方大叫一声,不但匕首掉在地上,好像他的手腕的骨头也同时被捏得粉碎。接着泰山把他拉近自己,捏住他的咽喉,向外一甩,掷出老远,躺在那里不动了,像甩出去一只死老鼠一样。此时场中充满观众欢乐的吼叫声。

之后,泰山把这个已经没了生命的身体扔到一边,重新捡起他刚刚被迫扔下的刀和盾牌,又去寻找新的敌手。这时双方都在搜寻残余的对方。卡修斯已经打败了从泰山手里接过来的那个角斗士,现在正与另一个刀客对打,当这个刀客又被他打倒之后,红方人数已占据了二比一的绝对优势。卡修斯这时又挡住了一个白方人员,他正希望有红方人员来帮他对付这个对手。

不过这时还没有人来帮他,但他却看到对方一个防守漏洞,于是快似闪电,他的刀光一闪切断了对手咽喉,而他自己也被人从后面向头部砍了一刀。尽管头盔没有破裂,但是这一震却把他震晕了,他脚步踉跄地晕倒在地。

"加油!加油!"观众齐声喊道。因为卡修斯跌倒的地方正是靠近观众席前不远的沙地上。那里不少观众都看得清清楚楚,所以才这样喊起来。这一情景也被泰山看到,于是他飞步上前,把砍向卡修斯的猎刀挡开,救了他的朋友。

接着他像一头正要攻击猎物的狮子,大步一跨从老远跳到一个对手的前面，像在丛林里一样，去救助他的朋友。他这一连串间不容发的快速动作，把观众惊呆了。

跳过他朋友卡修斯，泰山站稳了脚步，一手抓住并砍倒震昏卡修斯的白方角斗士，猛甩了几下，使对方失去了知觉，然后把他像丢弃一具尸体一样抛出了老远，横躺在沙地上。

观众这时简直都有些疯狂了。他们有的站在凳子上高声尖叫，有的挥舞着围巾、帽子，有的还向泰山扔出了鲜花或甜食。泰山弯腰扶起了卡修斯，直到他站稳，他没有受伤，逐渐恢复了意识。

泰山很快扫视了一眼场地，这时红方有十五人存活，而白方却只剩下了十人。这是一场残存者之间的战争。这里没有规则，没有道德，只有你死我活的拼杀。泰山集中了红方所有的人，指示大家要用智慧以多胜少。他分派五个人去帮助正与一个最强的角斗士战斗的玛平古，接着又分派三个人去应战一个白方的大个子。这样一来场上的一场血战很快就结束了。泰山的红方还剩下十五个活着的人，而白方最后一个人也被杀死了。

观众都欢呼着泰山的名字，超过对其他所有的人。唯有苏布拉图斯皇帝却被激怒了。因为他以前遭到的侮辱，一点也没有像他希望的得到报复，而且泰山所获得的威望远超过了他。所以，观众的赞赏，一点也没有改变皇帝对人猿泰山的仇视，他对于泰山只有一个想法，就是这个人必须消灭。因此，他招呼比赛总裁判，向他小声地下达了一个命令。

观众们都大声要求把荣誉和鲜花按规定给予胜利者，而且也应按规定给他们以自由。但结果却相反，其他人都被士兵赶回了围墙大房间，只把泰山一个人留在竞技场上。

有时，观众的某些建议或要求，苏布拉图斯皇帝可能会使其实现，所以就有一种纷纷议论在观众中蔓延。按过去的惯例，这种议论最后往往会变成现实。

现在奴隶们把被杀者的尸体一具一具搬走，捡起被扔在一旁的武器。在场地上铺了新沙，并把它们耙平。这时泰山一直都站在皇帝包厢下面的地上，让他站立的地方。

泰山两手抱在胸前。脸上露出了狡猾的笑容，等待着不知将是什么样的运气将会降临。这时先是一种较低的声音在传播，以后这声音似乎越来越大，泰山听到这声音似乎是"暴君！"接着又是："胆小鬼！""背叛者！""打倒苏布拉图斯！"泰山听了这声音，向周围看了看，这时才看见引起观众不满的东西。原来对面方向，不是为他准备的荣誉花环和自由之门，却是站在那里向他张望的一头硕大的、满头鬃毛的公狮子。它饥饿得显出了有些憔悴的样子。

对于愤怒的观众，苏布拉图斯表现出一种傲慢和冷漠的表情。他骄傲地环视着看台，然后悄悄命令三个白人士兵插进观众席，以威慑一些过激的鼓动者，免得他们会领导观众冲击皇帝的看台。

就在这时狮子展开了进攻，那些残忍而自私的观众此时已经忘记了刚才对不公平的愤怒和不满，反而从为泰山喝彩，转而对狮子的进攻叫起好来。当然，如果泰山能击败公狮，他们又会为泰山喝彩叫好。尽管他们未必这样希望，但人们确实是胜利的崇拜者，这却是不假的。此时泰山身上只有一把匕首，别的武器在前面的战斗中都被泰山扔掉了。

此时泰山只着一块豹皮作为缠腰皮。展现出赤裸的部分身体，健壮，完美。撒奎纳琉斯军团的人民观众，多数对泰山体态的完美健壮表现出钦羡，而同时他们对健壮的公狮的雄伟也表现出喜好。

这一周观众看到过有人面对公狮表现出勇敢，但最终都败在公狮爪牙下。现在他们又看到泰山这个蛮人，目前却丝毫没有畏缩退却的样子。公狮此时半趴伏着慢慢向前接近它的猎物。它半竖起的尾巴痉挛地抽搐，时不时地横扫一下地面。泰山却在对面镇静地等待应付它的进攻。

如果泰山是雄狮，他也许能知道此时这个动物头脑里正想着什么、这个动物何时向他发起进攻。现在他只能等待这头公狮向后一坐，然后猛蹿起来的时刻。因为泰山生活在丛林中就熟知雄狮这种进攻的方式。

泰山这时看到雄狮肌肉紧缩，他看到狮子的尾巴突然不动了。泰山抱在胸前的双手立时垂了下来，他的双脚也绷紧了脚面，作好迎接狮子进攻的准备。就在这时狮子向泰山发起了进攻。

当狮子冲来时，人猿跳起来迎着它。看台上的观众都屏住了呼吸，一时这里一片寂静。就是苏布拉图斯，也站起来扶住看台的前墙，身体俯向前面，张开了口，双唇久久不能合上。

雄狮想收住脚步，而且蹿起来去迎接这个大胆的大汉，但是它在沙地上滑了一下，结果它的扑抓错失良机落了空。而泰山这时却闪身躲在雄狮的侧面，整个身躯向前一伏，正好落在雄狮的背上。一条有力的手臂一下子搂住了雄狮有鬃毛的脖子，钢铁般有力的双腿像铁钳一样紧紧夹住了雄狮瘦瘪的躯干，贴在它的背上。狮子前身跳起,想甩掉紧贴在它身上的大汉却无论如何都不成功。

双腿紧夹住雄狮的躯干,一手紧搂住雄狮的脖子,泰山空出来的一只手,从腰上摸出了匕首。狮子似乎感到了生命危险,越想甩掉贴在它背上的大汉,越是怎么都办不到,无论是它跳起前肢,还是想侧身翻转,都不成功。泰山反而将匕首从狮子的侧身近心脏处深深地插了进去,一直深插进狮子的胸膛,一次,再一次。尽管每一次都使狮子更加疯狂,但狮子每一次蹿跳,也逐渐显得无力。一股股鲜血顺着刀口喷涌出来。

大竞技场的历史上,还从来没有这样一场惊心动魄的格斗,几乎所有的观众都看得目瞪口呆,他们忘记了呼喊,只是一律吃惊地呆望着,等候看那最后的结果。

公狮的嘴里鼻孔里都喷出血和血泡来,它不断发出呼噜噜地喘息声,四肢颤抖着无力地站在那里,然后无目的地摇摆着向前一扑,终于跌倒在地。大股的血水从伤口和嘴里喷涌而来,染红了一大片沙地。

人猿泰山早已从狮子的尸体上跳了起来。这场狂野的人兽之争,这场血战,这场与肉食动物之王的战斗,已经从泰山身上剥去了他那一层薄薄的文明的外衣。他此时似乎不再是英国的爵士,他站在这里,一脚踏在他杀死的敌手的尸身上,仰头引颈一声长啸,发出胜利的呼叫,一时竟压倒了场内所有观众的欢呼声,使听到的人几乎血液凝固。这时他不再像是一个人类,而像一头胜利的大猿。但是转瞬间这一特殊的发作过去了,他的外表又恢复到一个胜利的人的样子。一丝微笑掠过他英俊的脸。他一面弯腰拾起满是雄狮血污的匕首,抓起地上的沙子把它擦净,然后把它放回鞘内。

当皇帝这时看到和听到全场观众发狂地欢呼喝彩声,心里的嫉恨又高涨起来,他深深明白这疯狂的大喝彩和撒奎纳琉斯人民对于这高大的蛮人的敬仰意味着什么。尽管他想掩饰这一切事实,但在广大观众面前他已无法掩盖任何事实了。在公众面前他已丢尽了脸面,就连他的儿子法斯图斯也一样遭到人们的憎恶和鄙视。

这个蛮人是马克西姆的朋友。苏布拉图斯错误地对待了马克西姆。在撒奎纳琉斯军团中,马克西姆一向有很高的威望。他又是狄莉克塔爱着的人。狄莉克塔是最有威望的参议员迪翁的女儿,迪翁又是众望所归,最有可能穿上紫袍的人。这种形势很让苏布拉图斯惴惴不安。特别是再加上像泰山这样一个如今已成为群众偶像的人的支持和帮助,如果他轻易地按照比武的传统做法,给予泰山以自由,而且迪翁再得到像泰山这样一位群众偶像的支持,那么他未来的皇位和法斯图斯的继承权都将岌岌可危了。

这时泰山正等待在竞技场上。观众不断地向他欢呼喝彩。更多的士兵却被指挥着走上看台,在皇帝看台的周围竖起一排排长矛,形成闪光发亮的围墙。

皇帝和比赛总裁判小声商量着什么。一会儿喇叭吹响了。总裁判伸出了他张开的手要求场内观众安静,表示他有话要说。喧嚣逐渐平息下来,场内观众开始等待总裁判将要宣布什么事情。绝大部分的观众都期望按多年的习惯将荣誉和奖赏给予比赛中突出的英雄,以奖励他英勇无双的成就。接着总裁判清了清他喉咙开始宣布说:"我们的这位蛮人提供了这样突出精彩的比赛节目,使皇帝和场内的观众都得到了欢娱,这是前所未有的。因此皇帝决定给予他的臣民更进一步的观赏机会,再增加一个比赛项目,在这个比赛项目中,蛮人将更进一步演示他至高无上的本领和能力。这场比赛将是……"讲到这里,总裁判的声音已经被场内观众因这种意外增加节目引起的不公愤怒、抱怨、不满和议论,以及大声申斥的嗡嗡声,淹没得听不清楚了。特别是对苏布拉图斯报复性的花招、明显的险恶意图,以及为刚刚与兽中之王雄狮比武中取得优胜并表现出英武无双的蛮人的安全感到担心和不安,发出了几乎一致的反对与抱怨的议论和抗议声。

场内的观众不再关心什么公平比赛,尽管这种对公平比赛的议论可以在随后的时间里,他们可以在家庭中或者别的什么聚谈的场合再去议论。但现在他们最关心的,却是刚刚经过连续几场惊心动魄树立起来英雄形象者的安全。他的体力还经受得起更进一步艰难的比赛吗?人们不希望今天再看到蛮人的比赛。大家都反对苏布拉图斯这个阴险的决定。人们几乎一致为蛮人不平。不满的反对声此起彼伏,威胁的呼叫直接指向了皇帝。只是因为看台上新增加的许多持长矛的士兵,才使群众无法作出进一步反抗。

在竞技场上,奴隶们的工作被迫加快,跌倒在地的雄狮很快被拖走了。沙地又被清扫了,血污的黄沙被弄走了,换上了干净的新沙。当最后一个奴隶也退出了场地之后,只有泰山一个人被孤单地留在这里,等待下一场比赛中他的命运。远处那扇进入赛场的门,又一次被猛烈地推开了。意味着未知的危险的比赛又将开始了。

十七
大猿倒戈

泰山看看竞技场的远处,六只公猿正成群地穿过门道,走了过来。这群公猿曾较长时间被粗暴地关在笼子里,受尽了撒奎纳琉斯人的戏弄、欺凌和折磨,现在它们刚从笼子里被放出来。方才向竞技场走来时,它们也听到了阵阵欢呼声,像滚滚的春雷,轰隆隆地不断,它们却不明白发生了什么事。此时的它们,由于久居牢笼,一旦出了笼,心里充满了残暴的想要发泄的愤怒。当它们走进竞技场,首先看到是一个人,一个可憎的塔曼戈(猿语,白人)。这个人在它们心目中,自然代表了捕捉、戏弄、伤害它们的人,当然也就成了现在它们唯一可以泄愤的对象。

"我是格亚特。"一个大公猿咕噜着用猿语说道,"我杀!"

"我是祖托。"另一个公猿跟着吼叫道,"我杀!"

"杀死这个塔曼戈!"戈亚叫道,这是第六只大猿,它缓慢地向前移动,有时双手着地身体荡向前去,有时两只脚着地蹒跚前进。

这时人群中有人喊叫道:"打倒皇帝!"

在吵闹声中有人突然喊出:"该死的苏布拉图斯!"这喊叫引起人们的注意。有些人愤怒之火大于冷静思考,竟冲向了皇帝的包厢,但不幸的是这些人最终在士兵们的长矛前倒了下去。他们就倒在通道里,成了其他鲁莽者和仗义者的警告。

苏布拉图斯得意地小声对他包厢里的客人说:"对于那些敢冒犯皇帝的人,这将是一个教训。"

"完全正确!"那个客人回答说,"光荣的皇帝当然是最有权威的!"尽管这样说着,这个客人的嘴唇却在变颜色,而且因为恐惧不自主地哆嗦了几下。因为他看到群众的巨大的威慑力量和不断增加的愤怒,而与站在皇帝包厢外的卫兵闪亮的一排长矛相比,皇家武器却又是多么的稀疏、微不足道和渺小。

当大猿们走近泰山,领头的是祖托。它叫道:"我是祖托,我杀!"

"看好了,祖托!你杀死你朋友之前,先要看明白了。"人猿回答道,"我是人猿泰山。"

祖托听了,有些迷惑地站在那里,其他的大猿们也跟着它停了下来。

"这个塔曼戈怎么会说大猿的语言?"祖托说。

"我知道他。"戈亚说,"我还是很年轻的小猿时,他曾是部族的领袖。"

"但他确实是白皮肤。"格亚特说。

"是的。"泰山说,"我是白皮肤。我们一起被囚禁在这里。这里的人既是你们的敌人,也是我的敌人。他们希望我们打起来,但是我们不能。"

"不能,"祖托说,"我们不能和泰山打起来。"

"好的!"泰山说道。于是大猿们向他聚拢来,一面嗅着他的

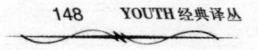

气味,一面证实它们的眼睛看得不错。

"发生了什么事?"包厢里苏布拉图斯咕噜着说,"为什么它们不攻击他?!"

"他对它们施了什么咒语?!"皇帝的客人说。

看台上的广大观众都看得莫名其妙起来。他们听到野兽们和泰山彼此咕噜了一阵。他们怎么也想不到,泰山与大猿说的是共同的语言!观众终于看到泰山转身向皇帝包厢走来,他被太阳晒红了皮肤,和披着一身黑色长毛的大猿一道并排地向前移动。最后泰山和大猿都停在皇帝的包厢下方的竞技场上。泰山的眼睛迅速地扫视了竞技场一周,包厢前站满了皇帝的卫兵,泰山一时还无法穿越他们的长矛阵。他抬起头来对着苏布拉图斯说道:"你的计划失败了。皇帝先生!这些你认为会把我撕成碎片的大猿都是我们的人。如果你还有什么别的招数就赶快施展出来,但是要快,因为我的耐性越来越少了。如果我们有机会跨进你的包厢,这些大猿会跟着我把你撕成碎片。"

泰山并没有说瞎话,只是他暂时还不知道,什么时候苏布拉图斯会失去这些手持长矛的宫廷卫队的保护。他也不知道广大群众什么时候会起来保护他们,或者宫廷卫队会对这可憎的王朝反戈一击。

不过泰山最终希望的是他能和卡修斯和麦塔卢斯一道逃跑,大家一起共同到东部帝国找到埃里克·冯·哈本。最后总裁判发出了命令,宣布比赛结束,大猿们和泰山也只好分别回到土牢和笼子里去了。

当泰山离开竞技场时,他还是听到看台上的观众们如雷的吼叫,大众坚持的要求是"打倒苏布拉图斯"!

当狱卒打开一间土牢门时,泰山看到只有马克西姆一个人在这个小房里。

"欢迎,泰山!"罗马人说道,"我想不到会再看见你。为什么你既没有死,也没有得到自由?"

"这就是皇帝陛下的公正!"泰山一面笑着回答说,"但至少我们的朋友们都自由了,因为他们都不在这儿啦!"

"别骗你自己啦!蛮人。"狱卒说,"你的朋友们一个也不少地都锁到别的房间里了。"

"但是按裁判规则,他们都赢得了自己的自由!"泰山惊讶地大声说。

"你不也一样吗?"狱卒回答说并狡猾地笑了笑说,"你自由了吗?"

"这是暴行!"马克西姆生气地大声说,"怎么能这样做!"

"可还是这样做了!不是吗?"狱卒耸耸肩说。

"那么为什么?"马克西姆问道。

"想想你一个普通的军官能得到皇帝的信任吗?"狱卒问道,"但是我听说正谣传着要发生暴乱。皇帝怕你和你所有的朋友,因为许多人都喜爱你,而你又很喜爱迪翁参议员。

"我明白了。"马克西姆说道,"所以我们就得无日无夜地留在这里了。"

"我只是猜想,也说不准。"狱卒狡猾地笑了笑,一面关上门,下了锁,留下他们,然后走掉了。

"我不喜欢他的眼神,也不喜欢他的声调。"马克西姆在狱卒走远了之后说道,"上帝对我太不仁慈,但是连我最要好的朋友都对我失信,我还能有什么希望?!"

"你是指爱皮乌斯吗?"泰山问道。

"还能有谁!"马克西姆回答说,"如果他早把钥匙拿来,我们可能已经逃跑了。"

"不过也可能我们还在什么比赛项目中。"泰山说,"我直到死也没有放弃过希望,而我又从来就死不了。"

"你既不知道皇帝的权力有多大,也不知道他是怎样一个背信弃义说话不算数的人。"罗马人说道。

"可是皇帝也不知道人猿泰山是怎样一个人。"

黑暗刚刚笼罩了整个城市,连土牢小屋里的一点儿光亮也没有留下来。正这时,他们两个人都感到走廊里的黑暗减少了许多,好像有一道忽悠不定的光亮在走廊的一侧出现。这道光亮越来越亮,他们知道有什么人正用火把在照亮他的路。

大剧场下面的走廊里,一天只有几次来人。卫兵和狱卒一天只来有限的几次,奴隶们一天也只来两次送饭。但是夜晚有一个人悄悄地手持火把走近,却是凶多吉少。马克西姆和泰山停下他们打发无聊的谈话,默默地等待究竟来的是什么人。

可能这个夜晚的访问者并不是来找他们,但是不祥的预兆往往让担心的人坐立不安。幸好他们没有等多久,这个人走到他们门前站住了。当这个人拿出钥匙开锁的时候,马克西姆通过栅栏门一下子就看清了他是谁。

"爱皮乌斯!你到底来了!"马克西姆高兴地说道。

"嘘——!"爱皮乌斯小心翼翼地说。然后迅速打开门溜了进来,轻轻地掩上门,用火把照了一下小屋,然后把火把在墙上戳灭说:"幸好屋里只有你们两个人!"他小声地说道,并坐到他们两人旁边。

"你在发抖,发生了什么事?"马克西姆问道。

"不是已经发生了什么事,而是可能发生的事让我觉得不安。"爱皮乌斯说,"你可能觉得可怪,为什么我没有更快地给你拿来钥匙,你一定以为我失信了。其实是因为这一段时间我没法到你这里来,尽管我可以冒着危险就像现在这样,但是前一阶段我确实来不了。"

"我不明白为什么一个剧场卫兵的司令官要到土牢里来,还这么困难?"

"我已经不是大剧场的守卫司令官了。"爱皮乌斯纠正说,"不知因为什么引起了皇帝的怀疑,从我上次离开你这里以后,皇帝就把我撤了。也许是什么人偷听了我们的谈话,或者皇帝知道,我们过去关系密切。我这只是推测,不论什么原因,总之我的工作岗位调动了,让我从大剧场调到城门去负责守卫,甚至不让我回家,理由是皇帝估计城外乡村的蛮人要暴动。就我们所知这种估计当然是可笑的。"

"不过,我所以离开我的岗位冒险前来,是由于一个多小时以前听到一种流言,是听一个年轻的官员说的。他是到城门来接别人的班时告诉我的。"

"他说了什么?"马克西姆问道。

"他说一个宫廷守卫官员告诉他,那个官员接到命令今天晚上到你们的小屋来,刺杀你和这个白蛮人。所以我赶快到你家里去,和你母亲菲蒂斯塔一块找到这一串我答应给你找来的钥匙。尽管这样我穿过大街时,还是要躲进树荫里,走到大剧场来。只怕被人看见或被守卫发现。我甚至怕我会来晚了,因为皇帝的命令说今晚就要立刻处决你们。这里是钥匙。马克西姆!如果还要我干什么请告诉我。"

"没有了,我的朋友。"马克西姆回答说,"你已经冒了很大的危险到这里来。赶快回去。回到你的岗位上去。要是让皇帝知道,你也完了!"

"再见,祝你们好运。"爱皮乌斯说,"如果你要离开这个城市,别忘了守门的是爱皮乌斯。"

"我不会忘记的,我的朋友。"马克西姆回答说,"但是我不会给我们的友谊带来更多的危险和麻烦。"

爱皮乌斯正要转身离开这小屋,突然停在门口小声说:"大概太晚了,看!"

远处火把的光,已照亮了走廊,划破了这里的黑暗。

"他们来了,"爱皮乌斯小声说,"快点!"这时爱皮乌斯抢先、躲进从走廊上看不见的旁边的黑暗里,而且抽出了他挎在腰间的西班牙腰刀。

很快火把摇曳的光亮走下走廊,拖鞋擦地的声音清晰可闻。人猿泰山准确地判断来的只是一个人。一个披着黑斗篷的人这时正站在门前,举起火把正朝小屋里张望。

"马克西姆!"他小声说,"你在里面吗?"

"是的!"马克西姆回答说。

"好的!"这个人叫道,"我还不敢确定这就是关你的小屋呢!

这就是了！"

"你来有什么使命？"马克西姆问道。

"我从皇帝那里来。"来人说道，"他下了一道命令。"

"紧急吗？"马克西姆问道。

"紧急而且明确！"

"我们正等你。"

"那么你们已经知道了？"来人问道。

"我们猜出来了，因为我们了解苏布拉图斯。"

"那你们就老老实实地去见上帝吧！"这个官员说着就抽出了他的腰刀，一把推开了门说，"你们就要死了！"

来人的嘴上挂着狞笑跨过了门槛。因为皇帝很了解他手下的人，所以选择了一个最适合执行这项任务的人。这是一个很冷酷的人，他又忌妒又仇恨马克西姆。这时马克西姆正站了起来，等着来人动手。而爱皮乌斯的腰刀一下子冷不防劈了下来，不但劈开了来人的头盔，也劈下他半个脑袋。来人一下子向前跌去，趴在地上死了。他左手的火把也掉在地上熄灭了。

"现在快走！"马克西姆小声对爱皮乌斯说，"可能你救助的这些人们将来会去造反，反对坏皇帝苏布拉图斯。"

"那就再好不过了。"爱皮乌斯小声说，"你已经有了钥匙，又有这个人的武器，你现在有足够的时间去完成你的逃跑计划。再见，再见，上帝保佑你们！"

当爱皮乌斯小心地沿着黑暗的走廊走去以后，马克西姆把钥匙插进他的手铐，两个人都站了起来，离开了他们憎恶的锁链和土牢。不需要再多描述他的计划，因为这是他们几周来长时间反复谈论过的话题。需要的只是针对临时有什么改变了的情况，略作调整而已。现在他们首先关心的是找到另外小屋里关着的卡修斯和麦塔卢斯以及其他许多忠于他们并可依靠的人，愿意并和他们一起去完成他们未来的事业。

穿过黑暗的走廊，他们一个房间一个房间地打开门锁，放出被锁着的人。他们发现这些人没有一个不愿意发誓忠于他们未来的事业，甚至愿意为此献出自由或生命。他们中间有鲁可迪、玛平古和奥约冈，曾在竞技场上共同战斗的城外的黑人，山谷外的马格哥人，还有一些罗马人的角斗士。直到最后，他们几乎要放弃寻找的希望，才在一间快到走廊尽头的小屋里找到卡修斯和麦塔卢斯以及几个存活下来的角斗士。他们本来可以获得自由，只是因为皇帝的喜怒无常、异想天开，他们也被无缘无故地锁了回来。这终于使得他们决心反对皇帝到底。

大定一致决心和泰山以及几个罗马人一道，去进行下一步的行动。

"我们仅有的人终于活下来了！"当他们进到竞技场前大屋子时，泰山这样对大家说。这里是他们曾经等待着竞赛的地方。"现在我们被解救了出来，我们要向这个可恶的皇帝讨回我们的公道。"

"其他已死去的人都将作为英雄受到上帝的欢迎，他们是值得得到荣耀的。"马克西姆说。

"我们不管你们的事业是正确的还是错误的，或者我们是死是活，只要前面有公平战斗就行。"一个角斗士说。

"我们会有公平的角斗，我敢向你保证。"泰山说，"而且还少不了!"

"那么领我们去!"角斗士说。

"但首先我还得解救出其余的我的朋友们。"泰山说。

"我们不是已经打开了所有的小房间了吗?再也没有锁着的房间了。"马克西姆不解地问道。

"噢!是的,我的朋友。"泰山说,"但是还有其他的,我是说笼子里的大猿!"

十八
狄莉克塔的婚礼

在梅里军团瓦里图斯·奥古斯都皇帝的土牢里,埃里克·冯·哈本和勒普斯正等着瓦里图斯·奥古斯都的凯旋以及比赛的开幕式次日举行。

"我们除了死还能希望什么?!"勒普斯沮丧地说,"我们的朋友失了宠或坐了牢,或者被放逐。瓦里图斯·奥古斯都忌妒他的侄子卡修斯,因此他看中福浦斯,并借助他,以达到他的目的。"

"这可是我的过失。"冯·哈本说。

"不要责备自己。"他的朋友不同意地说,"法沃尼娅爱上你并不想给你带来灾祸。这只是因为福浦斯的忌妒和诡计多端,他才是应该责备的人。"

"只是我的爱情却给法沃尼娅带来悲伤,也给她的朋友带来灾祸。"冯·哈本说道,"而我自己也被锁在石墙上,对她和我的朋友们没有任何好作用。"

"啊!如果卡修斯能在这儿就好了!"勒普斯说道,"那么整个城市就会起来,在他的领导下反对瓦里图斯·奥古斯都这个暴君。"

"那么卡修斯在哪儿?"正当冯·哈本和勒普斯悲观地无希望

地在梅里军团的土牢里交谈时,卡修斯却和人猿泰山在西部撒奎纳琉斯军团的城市里领导着一场起义。

这一天在撒奎纳琉斯军团的城市里,参议员们穿着豪华的长袍,军队和宫廷里的高级官员们衣着华丽,他们的女眷也都是一身珠光宝气,聚集在宫廷的大庭里等候参加皇子法斯图斯和迪翁参议员的女儿狄莉克塔在这天傍晚举行的婚礼。

在大街上,宫殿的大门外,聚集了一大群人,他们像潮水一样,反复多次涌上来又退下去,在大门和卫兵的长矛之间来回推搡。这是一大群闹闹嚷嚷的人群,他们不时地发出愤怒的呼喊:"打倒暴君!""打倒苏布拉图斯!""打倒法斯图斯!"这些都是他们憎恨的力求有新改变的主题。

这种威胁的呼喊声充满了宫廷的所有房间,但是高傲的国王和王室的老爷们都假装听不见,他们心目中根本没有这些子民。为什么他们要害怕?要理睬?难道皇帝老倌不是每天都把大把的钱分给军队吗?难道军队不该理所当然地保卫皇室吗?难道军人的长矛不就是用来保护他们享受的赏钱的来源吗?那些忘恩负义的百姓,就该用苏布拉图斯的军队对付他们。因为正是苏布拉图斯才组织了这样刚刚开过的盛会,那是在撒奎纳琉斯军团的历史上从未有过的长达一周的精彩赛事,不是吗?

现在宫廷里的人都在等待婚礼后的宴会。正当他们在笑声中热烈地谈论本周热门话题的时候,新娘正冷冷地待在楼上房间里,几名女仆围着她,而她的母亲正在安慰她。

"我决不,"她说,"我决不做法斯图斯的妻子。"而且她正紧握着一把长匕首,隐藏在大袍的衣襟里。

在大剧场下面的走廊中，泰山正整顿、安排他的人员力量。他招呼来鲁可迪和一个城外乡村里的头领，这个在比赛中曾和他并肩作战，后来又曾和他一道监禁在同一间囚室里。

"去！赶快到城门那里去。"泰山说，"要求爱皮乌斯放你出城，就说是马克西姆同意的，然后到村里去招集尽可能多的武士，告诉他们如果他们要让皇帝知道人民的不满，或者要让皇帝知道人民愿意怎样生活，就要立刻参加到市民们起义的队伍中来，推翻现在这个王朝。快点，一点也不要耽搁，时间紧迫，把他们很快集中起来，并且很快领他们从爱皮乌斯管理的城门进城，直接奔皇宫来。"

泰山提醒他们的人尽量安静，他和马克西姆领着大家直奔大剧场守备队的营房，因为那里至少有四分之一以上的人都是马克西姆的步兵队里的旧人。

这里现在已经组成了一支混杂的群体，有从城外村子里急召而来的武士，也有城里的黑人奴仆和褐色混血人，他们中有人是职业角斗士。大剧场守备队由马克西姆、麦塔卢斯、卡修斯和泰山领导着。而紧随泰山的是格亚特、祖托和戈亚等群猿。

奥冈约现在几乎可以肯定泰山是个精灵了，否则谁能如意地指挥这六只浑身毛发的丛林大猿呢？！毫无疑问在这些凶猛无比的动物体内，一定隐含着某些巴格哥头人的幽灵。如果小尼可玛都能是他祖父的灵魂，那么这些大家伙一定是更大的人物的精灵。所以奥冈约一直不敢靠近这些野蛮的伙伴，甚至对那些体态雄伟的角斗士也同样惧怕三分。

在他们要去的营房，马克西姆对于要找谁交涉、交涉什么是一清二楚的,因为对皇室不满早就在士兵和军人中蔓延,只是他们受到一些备受尊重的军官的劝阻,没有暴发出来而已,马克西姆就是其中之一。这也是为什么皇帝不让马克西姆在竞技场上和公众中露面的重要原因之一。所以现在营房中的军士们,大都愿意跟随这年轻的贵族军官去攻打皇宫的大门。

根据安排好的计划,马克西姆派出一支小队,由一位军官率领,带着马克西姆的信件,找到爱皮乌斯,打开城门及时放城外村庄的人进来。

沿着两旁都是大树的主街道——这里在夜间是一条黑黑的通道,人猿泰山领着他的一群人走向皇宫。队伍前几个人手持火把照路。

当他们到达目的地时,原来聚集在这里的人,不断拥向皇宫卫士,而且用手中的火把向他们戳去。于是大门的卫士们很快向皇帝报告。皇帝也加派了卫兵。群众更愤慨起来,特别是当这消息传遍整个队伍时,几个自发出现的领袖立即挤到前面去指挥整个群众队伍。正在这时泰山的人也来到了。原来在这里的人,还以为这是皇帝调派来的人,有人高声问道:"你们来的是谁?"

"是我,人猿泰山!"泰山回答说。

民众大大松了一口气,更加奋勇地挤向皇宫大门。因为他们原以为来人是皇帝调派的军队,现在知道却是自己方面的生力军。

皇宫内,人民在宫外的呼声使皇帝越来越愤怒,而一些贵族嘴上却挂着讥讽的笑。人们的反应可能颇不相同,特别当他们了解了人民起来的原因之后更加如此。

"你们来干什么?"有的人问道,"你们想干什么?"

"我们来拯救狄莉克塔,把她从法斯图斯手中救出来,而且要把暴君从撒奎纳琉斯军团的皇位上拉下来。"

群众的怒吼说明大家几乎一致同意这个宣告。"打倒暴君,处死这个暴君!"

"打倒宫廷卫队!"

人们潮涌般向前。宫廷卫队的官员看到涌来的生力军很多是军人,赶快下令让他的人后退到宫廷内院,然后关上大门,放下门闩,加上橡木用以拦挡。

一个脸色苍白的传令兵冲进御座大厅,走到皇帝身边报告说:"外面的老百姓都起义了。"

他声音嘶哑地小声说道:"许多士兵、角斗士和奴隶都参加了进来。他们涌到皇宫的大门前,那里守不了多久了。"

皇帝听了神经紧张地走来走去。终于停下来招呼他的亲信官员说:"派可靠的通信官到所有有人把守的禁门和兵营,调出所有能调出的军队,一个人也不剩。除了守门的,都去抵挡骚乱的人,凡留在街上的都杀掉,不用捉起来收监,都杀掉!"

在群众中传递的消息有时是很快的。一会儿工夫大家都知道了苏布拉图斯命令所有能调动的军队到皇宫来,并且指示他们彻底消灭人民的动乱。大众的怒火更炽烈了。

宫廷前的人民,由于马克西姆率领的军队到来,受到了很大的鼓舞。增加了攻击皇宫大门的力度。许多守门的士兵被从外面投掷进来的长矛刺穿,他们的尸体被拖到一边堆了起来,这景象让守门的士兵胆怯,却让外面的进攻者振奋。

不过尽管如此，泰山认为不能让攻击皇宫大门的战斗对峙太久，因此，他招集起一些他比较熟悉的追随者，提出一个新的计划，并且受到参与者的赞同。他召集大猿们重新回到大街上，还有马克西姆、卡修斯、麦塔卢斯、玛平古以及数名撒奎纳琉斯军团内最有名的角斗士，说明并安排了他的新计划。

法斯图斯和狄莉克塔的婚礼在皇帝王宫的大厅的大梯级上举行。神庙的大祭司面向观众。在他迎面的下方不远，法斯图斯正等待着他的新娘。这时在他左侧下方一间大房间里，狄莉克塔已装扮齐整，正缓步向外走来。她后面跟随着几位来自神庙的手持圣火的修女。

狄莉克塔脸色苍白，但是当她向前走时却步履坚定，毫无畏怯地迎接她的命运。有不少人在窃窃私语，她风度翩翩亭亭玉立，与王子法斯图斯的贼眉鼠眼、举止猥琐形成鲜明的对比。人们并不能看见大袍下面她的手上握着一把长匕首。她沿着走道走来，但是她并没有像法斯图斯一样停在大祭司的前面，等待他的祝福。就像她应该做的那样，而是径直走向皇帝的御座前，站在苏布拉图斯的对面。

"撒奎纳琉斯军团的人民，多少年来被教导说，人们应该以皇帝为他们的保护人。"她缓缓地高声说道，"皇帝不仅制定了法律，他就是法律。他要么是公平正义的化身，要么是一个残暴的君主，二者必居其一！那么你究竟是哪一个？苏布拉图斯？"

皇帝不由得脸红到了耳根，站起来说："多么疯狂的怪念头，我的孩子？谁安排你现在对皇帝说这种话？"

"这不是我临时的怪念头。"女子不耐烦地回答道，"这是我思考很久的最后的希望,尽管我也曾预计到我的话不会得到你的回应。但是我决不能不说,现在说了,大家也都听到了,只等待事实证明您属于哪一种。"

"够啦!够啦!"皇帝打断她的话说,"你的这种傻话已经说够了。站到大祭司前面去,准备说你婚礼的誓言去!"

"你不能拒绝我!"女孩大声顽固地喊道,"我向皇帝提出我的要求,这是我的权利,是一个罗马公民的权利。尽管我们从来也没有见到过罗马古城,但是公民的权利从那个遥远的时代就由我们的祖先传了下来。除非自由人权之火拒绝了我们,你不能拒绝我这种权利。苏布拉图斯!"

皇帝先是脸色苍白,最后又气得脸色通红。"明天你到我这里来,你会得到你所要的。"

"如果你现在不回答我的要求,那么就不会有什么明天。"她反驳说,"我现在就要我的权利!"

"好吧!"皇帝冷冷地问道,"那么你要求什么恩惠?"

"我要求的不是你的恩惠。"狄莉克塔回答说,"我有权知道事情是不是按我的要求进行的。我要求此事得到证明,因为我为此付出了可怕代价。这是你们曾经答应我的。"

"你是什么意思?"苏布拉图斯问道,"你需要我们给你什么证明?"

"我要求见到马克西姆活着,而且自由地活着!"女孩回答说。

皇帝站起来大怒地说:"这不可能!"

"噢!不!这是可能的!"一个声音从皇宫大厅边一间侧室的阳台传来,"因为马克西姆此时就站在我旁边!"

十九
泰山的反攻

皇宫里所有的人都向阳台看去。声音正是从那里发出来的。这时聚集在大厅的人几乎不约而同地发出惊讶的叫声。

"那个野人!"

"马克西姆!"另外几个人叫道。

"卫兵!卫兵!"皇帝也拼命地呼叫道。此时泰山正从阳台上跳到一根支撑着屋顶的大柱子上,然后顺着柱子溜到地面,而紧跟在他后面的是六只浑身毛发的大猿。

当泰山和大猿们直奔皇帝的御座时,十二个侍卫抽刀出鞘,挥舞着抵挡,妇女们尖叫着吓昏在地,皇帝吓得缩作一团瘫痪在宝座上,浑身发抖。

一个年轻的贵族挥舞着钢刀向泰山杀来,没防到大猿戈亚从他侧面跳上来,灵敏地躲过他的钢刀,一把抓住他的胳臂,往身边一拖,露出了它发黄的牙齿,照这个贵族的脖子就是一口,那人一声也没喊出来就昏死在地。这时大猿习惯地踏着这个贵族的尸体发出了一声胜利的吼叫。因此,几个持刀的贵族吓得退了老远。法斯图斯大叫了一声,转身逃得踪影全无。泰山赶快走到狄莉克塔身边护住她,以防大猿们无意间会伤害她。

大猿戈亚照这个贵族的脖子就是一口。

当大猿们顺着台阶走上御座时,皇帝正吓得浑身颤抖,牙齿上下打颤,连"救命"都喊不出来,从御座上滚落下来,要爬进椅子下面,却又抖得行动不得。御座的后面倒是画得金碧辉煌,标志着至高无上的皇权和威严。

大厅里原来的贵族、官员和士兵,曾因为泰山和六只大猿的突然出现,引起他们震惊,并一度吓蒙,不知所措。现在他们发现大厅里只有大猿和泰山,便慢慢镇静下来,逐渐恢复了理智,又重新聚集起来,逐渐向泰山和大猿们进逼围攻。就在这时,阳台下面的一扇小门突然被撞开,从那里钻出马克西姆、卡修斯、麦塔卢斯、玛平古等许多人。他们都是跟着泰山和大猿从宫廷外的大树上翻墙跳进皇宫里来的,只是他们不像泰山和大猿那样在树上纵跳自如,所以一时落了后。

这时那些攻击泰山的人中,有与马克西姆熟悉的,也有一周来一直为马克西姆带进来的角斗士喝彩的人,这时都收起了武器后退,采取了观望态度。不过现在六只大猿的攻击多少有些扰乱了阵线,因为它们分不清敌友,只要是站在前面的人都成了它们攻击的对象。泰山这时赶快把狄莉克塔交给玛平古,让他们退出混乱的战场,找个安全的藏身之处,以便他和马克西姆投入战斗时无所顾忌。

在外面的大街上,群众猛冲皇宫的大门,吵吵嚷嚷尖声叫喊的民众终于冲进了皇宫大院,打退了守卫的士兵,拥挤着、践踏着活着的卫兵,踏过死去卫兵的尸体。

当泰山领导的一群人和六只大猿从树上进来时,宫廷卫士还以为他们只是暴民,但一交手才发现自己远非对手。和泰山一起在土牢中生活过的几位贵族,如马克西姆这样的军官,还有好几个知名的角斗士都非常英勇善战。因此,许多宫廷卫队不愿被杀,就只好后退保命。

但组成皇宫卫队的毕竟还是一群老练的军人,他们虽然节节败退,但一时还不至于作鸟兽散。他们又组成了新的防线,绕过泰山这一群人,挡住了庞大、拥挤但又无强力领导的民众。宫廷守卫士兵这时找来一门弩炮,架在台阶上,不断发射石块,射向那些密集着的暴乱群众,他们这时正猛攻持长矛的宫廷卫兵。

在远处,主城门吹起了嘹亮的号声,那里也赶来一些军人。起先外围的人群还以为赶来的是叛变的士兵,会成为他们的生力军,但他们的希望瞬间就破灭了。士兵把长矛对着群众。当为首的一队来自主城门的百人队开始冲杀以后,群众才明白,这批士兵并不是支持他们的,于是开始四散奔逃。

后来的一队百人队开始清理皇宫前的大道。他们很快发现死者当中宫廷卫士远多于城中的市民。士兵们逐渐明白,已经杀入宫廷的队伍中一定有更强大的力量在前面等待着他们。这些被盲目调来的守门士兵中,开始传开种种令他们畏怯不前的传言。因为他们知道任何一个宫廷卫兵都可以抵挡四五个普通士兵。已死的宫廷卫士尚且如此,自己的命运如何当然可知。

在众多宫廷卫队的压迫下,泰山等一批人开始退入阳台旁的小屋。小屋的门不大,有两三个人就守住了。但是当他们再要从这里退出,却发现宫廷院子里多了些士兵。

这间小屋原是皇宫的接待室,现在正好能容纳他们这一群人,这里暂时成了他们很好的避难所。这间小屋还有一个窗子,可以通向宫廷的花园。这里的墙都是石头的,完全可以抵挡宫廷武士手中的武器。不过他们现在都有点饿了,所以这里就又像是他们待过的土牢,只是他们的手脚完全是自由的。

正在这时,狄莉克塔和玛平古不知从哪里给他们弄来一些吃的。除了面食,还有几块生肉是给泰山的。

"啊!狄莉克塔!"马克西姆喊道。这是头一回他能再抓到她的手,而且站到她的身边。"我找到你,却又面临再次失去你的可能,我的鲁莽可能给你带来死亡。"

"你的到来毕竟把我从死亡边缘救走。"女子说着从身边亮出了她带的长匕首,展示给马克西姆,"我曾准备选它做丈夫,想让它进入我的心脏,它要比法斯图斯好多了。所以如果我现在死了,也比我原来计划活的时间长多了,而现在我们还能死在一起。"

"现在还不是谈论死亡的时候!"泰山插进来大声说,"难道几个小时以前你们能想到你们能像现在这样在一起吗?也许几个小时以后,你们想起现在的担心都会觉得可笑。"

几个角斗士听了泰山的话,有的点头赞赏,有的摇头觉得担心。

"我们中任何人如果活着走出这间屋子,很可能还会被捉住绑到行刑柱上,"一个角斗士说,"也可能被捉住喂了狮子或者被捆住让野牛顶死。"

泰山听了耸耸肩转身走开说道:"我现在还活得好好的!直到我死了,我才去考虑这些问题,尽管到那时考虑这些问题可能太晚了。"

马克西姆听了大笑起来说:"或许你是对的。你有什么建议?如果我们留在这儿多半会被杀死,所以你最好有什么办法,让咱们都能逃出去。"

"如果我们不能凭自己的力量,那么我们应该看有什么地方能暂时避避风头,等待外援,现在我们还要想办法争取时间找到敌人的漏洞。我们要尽量使自己的处境变得好起来,而不是变得更坏。事态现在还不算很糟糕。"

"我还不像你那样乐观。"马克西姆说道。他一面指着窗外的花园说道:"看!他们正在安放一架不大的弩机,指向我们的窗户,没多久我们的处境将比现在更坏。"

"依我看这里的墙壁是相当坚固的。"泰山回答说,"你以为他们会把它砸倒吗?马克西姆!"

"我持怀疑态度。"马克西姆回应说,"如果每一发都从窗户打进来,那么我们的损失会很大,因为我们现在都挤在一起,都在弩炮的射程之内。"

被召到宫里来的士兵,这时被守在小屋门口的几个持剑的角斗士挡在外面,卫兵根本不是他们的对手,都畏缩不前。因此门内的人得以关上牢实的橡木屋门,并且下了闩。有一会儿这里突然静下来。花园方面却转而热闹起来。有人想从窗户冲进来,但是被屋里的人很轻易地挡住了,毕竟窗户不大,容易把守。就在这时,几个士兵把弩机从宫廷里拉到花园里来,瞄准了宫廷接待室的墙壁。

狄莉克塔被安置在接待室屋子的一角,这里可以说是屋里最安全的地方。泰山和几个角斗士一道注视着花园里几个士兵在弩机左右跑来跑去。

"看来他们不是想瞄准窗户。"卡修斯打量着对面的弩机说。

"我认为他们是想从墙上砸开一个缺口,然后有更多的人涌进来。"马克西姆说。

"我们冲到弩机跟前,把它夺过来怎么样?"泰山思考着说,"那么我们会让它发射得猛烈得多。我的伙伴们!让我们把它夺过来!让他们也尝尝弩机的滋味。而且我们如果能抢在他们前面发起攻击,我们就可以先突围。"

突然"轰"的一声有东西砸在门上,使防守的人猛然一惊。原来士兵们在前后夹击,他们在另一面留下了一个小弩机。因为小,所以一声过后这一面并没有造成多少损失。

卡修斯不无嘲弄地说:"他们弄了这么一个'可怕'的撞击!"

又一次重重的撞击正打在外墙上,一大片泥灰就从内墙跌落下来,落在室内的地面上,接着又是一次。室内的人可以听到弩机边的士兵每次撞击过后的喊叫。所以每次弩机的发射,大致就像钟表那样间隔准时,而士兵的呼喊也像钟表的"滴答"声一样。

弩机发射的石块,每次撞击着外墙,总给室内的地面增加一些落下的泥灰,而裸露的内墙面越来越大,墙体的石缝也越来越明显。

"看!"麦塔卢斯喊道,"他们正把弩机瞄准窗户,他们想干什么?"泰山听了赶快命令说:"窗边和窗前的人赶快躲开!"

又一次发射,窗边撞下了一大块石头,露出一个更大的豁口,引起花园里士兵更大的欢呼。

"这仅仅是个开始。"卡修斯说,"如果他们继续这样轰击,很快就会在窗户这里弄出一个大窟窿。"

"门边的人注意了。"泰山立即提醒说,又一次撞击使结实的橡木又摇晃了几下。这时十几个角斗士赶快站到门边,准备一旦门倒下来他们好迎战杀来的士兵。在屋子里的六个大猿在每次撞击震动房屋时都不断发出咕咕噜噜的咆哮声,幸好经过泰山多次与它们交流,它们明白屋子里的人都是泰山的朋友,才稍稍安静了一点。

窗口的裂缝越来越大,一发弩机射出的石块竟然把窗户上下都砸出了一个大裂缝。泰山转身对着大猿并指着对面的军士们大叫道:"挡住他们!祖托!杀!戈亚!杀!"站在它们旁边的角斗士听到它们的咆哮声都觉得胆战心惊。这时泰山带着它们跳出裂缝直奔花园里的弩机。泰山身边的角斗士也不知泰山吼叫些什么,但很快他们就明白,这是泰山命令大猿冲向军士。对面的军士也伸出长矛加以抵挡,却不料大猿的前肢比人长,不等长矛戳到它们身上,大猿伸出长长的手臂,只一挡就把长矛挡飞了,接着就跳到军士的身上,张开大口,一口就咬掉了军士的半个脖子,不一会就在大猿们身后留下了十几具军士的尸体。弩机旁的军士吓得一哄而散。

"跟着它们!"泰山对马克西姆说,"跟着它们到花园去!把弩机夺过来,然后我们把弩机掉头,让他们尝尝连发弩机的滋味,尤其在花园里他们连遮挡都没有!"

在大猿的后面紧跟着三个罗马贵族,他们是马克西姆、卡修斯和麦塔卢斯。在他们旁边还有撒奎纳琉斯军团著名的御剑高手和角斗士，以及跟着他们的奴隶等人，暂时平安地踏着大猿和泰山为他们开拓的路前进。

泰山和余下的几个角斗士肩并肩地守住了接待室的屋门，顶住了士兵们几次较多人的冲杀。直到他们在花园里的进攻也取得了一定的胜利，并且夺到了那尊弩炮。这时泰山向后一看，正看见玛平古保护着狄莉克塔从接待室里挤出来。泰山高兴地看到弩炮终于落入自己人手中，接着他们逐步穿过大裂缝退守到接待室里。

这时，马克西姆正指挥几个人，用夺得的弩炮攻击花园里的士兵。马克西姆在墙的大缺口前下令，弩炮的机头已经拉起，然后一块大石直奔士兵们迎面而去。

有相当一会儿工夫，命运之神似乎特别照顾泰山。不久卫兵们就看出花园里并不如接待室安全。室外虽有弩炮，但四面受敌，长矛可以在天空里飞来飞去。弩炮以及武士娴熟的刀法使士兵们不敢太逼近。饶是如此，泰山的人面对比他们人数多得多的士兵终不免寡不敌众，尤其卫兵有优越的长武器，泰山他们究竟能撑多久很难说。

现在双方好像达成了一种默契，攻势都暂时停了下来，也许是都想休息一会儿，准备下面的白刃战。三个白人从较近的地方观察了对方以后，马克西姆说："他们是准备用长矛来攻击我们。"

"我们大概就命丧于此了。"卡修斯说道。

"我想上帝会快乐地接受我们的。"麦塔卢斯补充说。

"你们说得不对！我认为上帝与接受我们相比，更愿意接受他们！"

"那是为什么？"卡修斯有些不解地问道。

"因为今天晚上上帝已经带走了他们这么多人，远比我们多了许多倍。"泰山指着远近许多士兵的尸体说。卡修斯听了不由得带着感激与兴奋的心情笑起来。

"他们不久就会发动进攻的。"马克西姆说，然后转身对着狄莉克塔，抓住她的胳膊吻她说："再见吧！亲爱的。幸福是多么短暂，人们的生命是多么的绝望啊！"

"不要说再见，马克西姆！"女孩回答，"不管你到哪里去，我都会跟了去!!"说着她亮出了手中的长匕首。

"不！你要答应我,你决不能这样做！"

"为什么不?! 不是死亡远比嫁给法斯图斯要幸福得多吗？"

"或者你是对的！"马克西姆悲伤地说。

"他们杀上来了！"卡修斯大叫道。

"准备！"泰山坚定沉着地下令，"拿出我们全部的力量来对付他们！死在战斗中要比死在剧场的土牢里好得多，让我们杀退他们！"

二十
瓦齐里人

当双方战斗暂时停歇,从花园的远端,忽然传来一阵阵野性的呼喊声,在嘈杂的人声之上。这是一种全新的前所未有的声调,它引起战斗双方的注意。泰山听到这种声音突然昂起了头,显出特别专注的样子。他的鼻孔一掀一掀地想从空气中捕捉某种他熟悉的气味。这种气味使他闻起来有些兴奋。他踮起脚尖,眼光发亮,从敌方的头上向远处望去。

野性的呼喊越来越强,这是向泰山走来的一大群人齐声发出的战斗呼喊。这种逐渐增强的呼喊声,从与泰山交战的士兵的身后传来,引得士兵们转身观望。现在已经可以看清,这是一队装束齐整的武士队伍,人数不少,在几个领队的率领下,步伐一致雄赳赳地向前走来。在这队数百人的武士前面,是一个高大的黑褐色皮肤的非洲人,不过他身上有一种当地黑人所没有的文明气息。他高昂的头上飘摇着一支长长的白天鹅羽毛头饰,他正领着这一大队人齐声发出了战斗的呼喊。这时泰山不由得心花怒放,脸上露出了欣喜的笑容。前来的一大队人,正是他庄园上的瓦齐里武士们!

领头的是队长伟万里。他身边还有曾经胆小怕事的巴格哥人鲁可迪。显然他只是带路的。但是除了这一大队武士之外,还有一些是泰山暂时看不到的人,他们是跟在这大队武士后面混进城来的乡村人。他们跟在瓦齐里人后面混进城来,为的是趁火打劫皇宫和城里的人,企图报复多年来他们受到的欺压,也想顺手牵羊地抢些财物。

这时分散在花园里的不成队形的士兵,一看进来这样许多整齐雄壮的战斗队伍,那些精明点的早就丢下武器逃散了。剩下的一些不知何去何从的士兵,只好也丢下武器请求泰山的保护。

如今伟万里已经走到泰山跟前,拉住泰山,屈膝吻着他的手说:"我们祖先的神灵对我们是仁慈的。"这时从大树上跳下一只小猴子,落在泰山的肩上,伸出一只手搂住泰山的脖子,吱吱乱叫,显出无限亲热的样子。

伟万里接着说道:"幸亏我们来得及时,否则就可能太晚了。"

"我还担心过你们怎么能找到我,现在我看到小猴子尼可玛,我才明白。"泰山说着亲切地拍拍坐在肩上的尼可玛。

"是的,是尼可玛。"伟万里说,"它跑回主人的庄园来,一直把我们领到峡谷。进了城它还找到鲁可迪,才把我们引到这里。路上我们有两三次想回去,幸亏尼可玛连抓带扯,坚持非要我们来不可,我们还怀疑它是不是疯了。现在尊敬的宛那,您可以和我们回到自己的庄园去了!"

"啊!不!"泰山摇着头说,"我还不能现在就回去,我老朋友的儿子还在这条峡谷里,不过你们来得正好,可以帮我不失时机地把他救回去。"

士兵们都丢下了武器,从皇宫里逃跑了。接着从皇宫的庭院里,从大街上传来尖叫声、呵斥声以及受伤后的呻吟声,还有个别复仇帮伙的呼叫声。正在这时,马克西姆匆忙大步来到泰山身边说:"城外乡村的一些野人正在趁乱随意杀戮落到他们手中的伤兵或市民。"接着他大声说,"我们必须集聚起一支力量抵挡他们一阵。刚才来的这些你的人,是不是可以帮这个忙?"

"他们都会听我的命令参加战斗。但是我以为现在还没有必要和城外的蛮人发生战斗。鲁可迪!你知不知道能命令这些蛮人的白人官员在哪里?"

"他们有一阵就在皇宫附近。"鲁可迪回答说,"只是后来这些蛮人战士变得很激动,他们都甩开了白人官员跟上他们的头人走了。"

"那么去!把他们最大的头人找来!"泰山吩咐说。

随后的半个多小时,泰山和他的助理官员们忙于重组力量,其中许多都是投降的士兵。他们利用这些人看护伤员,计划应对未来可能发生的战斗,并整理残破的宫殿。正在泰山准备放弃希望的时候,鲁可迪领着城外的两个蛮人来了。从他们穿着和身上的装饰可以看出他们就是两位头人。

"你就是那个叫泰山的人吗?"其中一个头人问道。

泰山点头说:"是的!我就是!"

"我们正要找你,这个巴格哥人说你也要找我们。而且他告诉我们,你已经答应过,今后我们的战士不再被判到竞技场上去送死。你能吗?你一个蛮人怎么能向我们保证这一点?"

"如果我不能保证这一点,你们不是有能力强迫实行这一点吗?"泰山回答说,"而且我相信如果皇帝不答应,我的瓦齐里武士们一定会帮你们得到这个权利。但是现在你们要整顿你们的人民和武士,不要再让武士随意杀戮无力抵抗的人。集中起你们的队伍,把他们带到宫廷前的大街上,然后你的副手都到宫廷大殿里来参加一个善后会议。你们将可以在这里提出要求,并一定会得到公正的答复。这决不是为了眼前,而是为了永久。去吧!"

最后参加抢劫的人群停下来,由他们的头人把他们列队带到皇宫前的大街上。瓦齐里武士们则有一些人把守着被毁坏的皇宫大门,并且沿着到皇宫正庭的甬路,排上了岗哨,一直延伸到御座前。现在这里坐了有半圈人,他们中有泰山、马克西姆、狄莉克塔、卡修斯、麦塔卢斯和伟万里。小尼可玛这时仍蹲在泰山肩上东张西望,时不时在泰山耳边吱吱两声,泰山只好拍拍它,安抚它一下。

"派军士去找苏布拉图斯和法斯图斯。"泰山对马克西姆说,"这种大事要快办完,我还要赶到梅里军团那面去。"

一会儿去找人的军士激动地冲进皇宫大厅里来报告说:"苏布拉图斯死了!"又有人报告说:"法斯图斯也死了!"城外的蛮人冲进来杀死了他们。上面的房间和走廊上还有一些贵族官员和参议员的尸体。

"难道没有人活着吗?"

"不!"一个士兵报告说,"有一个房间的门从里堵住了,那里面的人还都活着,他们不一会儿就下来。"

果然一会儿就从走廊上下来一群人,他们原是被招来参加婚礼的。从他们脸上的汗水、血迹和灰尘就可以看出他们经过了一段多么可怕的时刻。有的妇女还没有脱离恐惧的歇斯底里的状态。领着他们走来的人是老参议员迪翁。狄莉克塔看到她的父亲,禁不住跑过去泪流满面地拥抱住他,然后扶着他向前走来。

泰山这时的表情如释重负,露出了笑容。因为他在马克西姆的母亲菲蒂斯塔那里对迪翁的为人已经有了详尽的了解。所以他赶快迎上前去,拉住迪翁的手,扶他走到御座前坐下,并在他耳边讲了许多话,迪翁边听边点头,脸上也显出了开心的神色。现在迪翁还活着,而且身体健康,这一切特别让泰山放心。因为这正是他最需要完成的计划和事业中关键的一点。

泰山扶迪翁坐好,于是他举起手来表示让大家安静。嗡嗡的谈话声立刻静了下来。

"皇帝已经死了。你们大家之中一定要有人接受皇帝的紫袍,国不可一日无君。"

"泰山万岁!新皇帝万岁!"大厅里有人这样喊起来,接着许多人跟着喊起来。

这时泰山却站出来,微笑着摇头说:"不!不是我!这里有一位十分称职的人,是我推荐给你们大家的,而且他已经答应了我给城外蛮人的允诺,这就是城外的蛮人永远获得生存的自由,他们的子女不再被迫做奴隶,他们的战士也永远不再被迫在竞技场里进行厮杀而送命。因此,我向你们大家推荐迪翁参议员继任撒奎纳琉斯军团的皇帝!"说着泰山先向迪翁参议员鼓起掌来,接着整个大厅也山摇地动地喊起:"新皇帝万岁!皇帝万岁!"

在大家的欢呼和掌声稍稍停息了一下之后,迪翁从御座上站起来,向大厅各处站着的民众、官员、贵族、头人等,深深鞠了一躬,然后高声宣布说:"感谢大家的拥戴。现在我宣布我就任以后的第一条施政纲领,就是自今以后我们子子孙孙所有后代,永远停止在竞技场上以互相杀戮为乐事的竞技项目!代之以体力和技巧的不流血的竞赛,这一规定也包括城外乡村的各色人在内!"接下来大庭里响起了连绵不断的掌声和"万岁"的欢呼声!

就这样泰山在撒奎纳琉斯军团的辖地上,扶持了一个符合人民愿望的新皇帝,且永远革除了一桩行之多年的陋习。

二十一
殒命角斗场

东部帝国瓦里图斯·奥古斯都皇帝,也举办每年一度的庆典,但它与撒奎纳琉斯军团苏布拉图斯皇帝的庆典相比,实在是相当寒酸。尽管为了增加庆典的郑重性和趣味性,在皇帝的马车后用锁链拴了一个蛮人的头领。他大步地跟着马车走,在展示皇帝的权威,但仍然引不起观众、市民们多少兴趣。

这点对皇权的虚荣的展示,却能让皇帝瓦里图斯·奥古斯都很高兴。尽管这种自我夸张让他峡谷里没有见过世面的子民们感觉稀有和惊叹,但是对于埃里克·冯·哈本来说,自己虽没有像城外蛮人头领那样被拴在皇帝的马车后面,但是跟着所谓贵族政治犯队伍向市民展示了一趟,冯·哈本仍然感到懊丧和失望。他十分清楚,只要有一队枪骑兵或陆战队在他手上,他就能使这位耀武扬威的皇帝变得什么也不是。现代武装要消灭这样一个胡作非为的小国皇帝简直不费吹灰之力。他刚进山时带在身边的连发小手枪和子弹带,如今也不知被葛布拉放在了哪里,否则肯定会派上用场。

庆典游行终于结束了,冯·哈本也被带回只有他和勒普斯共同居住,或者可以称作被锁禁的小屋。

"你回来得很早啊！"勒普斯说，"瓦里图斯·奥古斯都的庆典，你觉得怎样？"

"如果从群众表现出的热情来看，不像是一个多么热闹的集会。"

"瓦里图斯·奥古斯都的庆典从来就是一件不怎么受欢迎的事。"勒普斯说，"他从来就是一个宁肯自己浪费，也不愿在老百姓身上多花一分钱的人。"

"难道就要开始的竞赛也是很乏味的吗？"

"是的。"勒普斯说，"我们这里的犯人不多，所以要花钱去买一些奴隶。因此，不少竞赛是在城外的野蛮人之间进行的。有时也有一些盗贼对阵角斗士。大部分时间，皇帝依靠专职的角斗士和像我们这样的政治犯，就如你和我这样遭受皇帝亲信的人陷害而失宠的人进行比赛。现在像我们这样受陷害的人，在这个牢房里总有二十几个人。我们都是皇帝为他们的娱乐而准备的工具。"

"那么如果我们在竞赛中胜利了，我们能自由吗？"

"我们不可能胜利。"勒普斯说，"福浦斯会专门管这件事，你肯定会长眠于此。"

"这太可怕了。"冯·哈本嘟囔着说道。

"你怕死吗？"勒普斯问道。

"倒不是怕死。"冯·哈本说，"我是想到法沃尼娅。"

"那你是对的。"勒普斯说，"不过我可爱的堂妹宁肯死，也不会嫁给福浦斯。"

"我感到很无助。"冯·哈本说，"没有一个朋友能帮助我。就是我贴身的仆人,忠心的葛布拉也不知身在哪里。"

"噢!这让我想起来一件事。"勒普斯惊叫道,"今天早晨他们还来这里找过他。"

"找过他?难道他没有被关在土牢里?"

"是的。他昨晚曾被选派和别的囚犯一道去打扫场地,大概忙了一夜吧,早上天还很黑的时候他可能趁机逃跑了。我猜是这样,所以他们才来找他。"

"好极了!"冯·哈本高兴地叫道,"我听到他自由很高兴,尽管现在他也不可能来救我。不过他能到哪里去呢?"

"梅里军团领地沿滨水区的防守是很松弛的。但是那个大湖和湖里的鳄鱼却形成了天然的屏障。所以葛布拉可能翻墙逃走,但是唯一的机会是他只能藏身在城里某处,被别的奴隶保护起来,或者甚至可能藏在法沃尼乌斯家里。"

"我希望,我也预感这个可怜的人有可能逃出这个峡谷,回到他自己人那里去。"

勒普斯听了摇头说:"这大概不可能。尽管你们是从悬崖上爬下来的,但要从这条路再爬回去却根本不可能。即使他从梅里军团的领域逃出去,也会落入撒奎纳琉斯军团的士兵或那里城外的蛮人手中。不!我看葛布拉是无路可逃的。"

时间过得很快,简直可以说是太快了。从他回到他的牢房小屋到他又要接受瓦里图斯·奥古斯都皇帝的检阅,这期间好像没有多久。竞技场的士兵就进来又把他们拖到竞技场上去了。

竞技场的看台上现在好像特别拥挤。贵族们的包厢里已经坐满了人,骄傲的东部皇帝正坐在他华丽的包厢里,头上有一顶紫色亚麻布的华盖遮阳。法沃尼乌斯低着头,和妻子女儿坐在他的包厢里。女孩两眼正盯着竞赛场的出入口。她看见了他的堂哥勒普斯,和他一起进来的还有埃里克·冯·哈本。她不由得浑身战栗起来,不由自主地闭上了眼睛。

当她再睁开眼睛时,队列已经排成。竞技手正列队穿过净沙场来到皇帝包厢下接受训话。和勒普斯、冯·哈本一起的有二十多个政治犯,他们全都是贵族阶层的人。然后是职业竞技手的队伍,他们是一群粗俗的野蛮的专以竞技杀人或被杀为职业的人,他们的领队是一个大摇大摆、自负过人、近五年来一直都是优胜杀人者的竞技手。如果大众心中也有竞技手偶像的话,那就非他莫属了。群众每逢见他出场总是把他的名字"克劳迪乌斯·托勒斯"喊个不停。几个小偷,一些吓坏了的奴隶以及五六个体魄魁梧的人殿后。这就是一群在这个罗马节日里生死未卜、将要用自己的生命完成皇帝和群众娱乐的受害者的队伍。

埃里克·冯·哈本曾经读过罗马史书和有关的故事,想角当时竞技的情景。他常常在脑海里想象过多次在竞技场的黄沙上演出的场面,但这都是那些文字的历史叙述在他脑海里的电影而已。现在当他身临其境,这一切都变得十分乏味,而且内心充满了恐惧和无聊。

这与他过去理想中的罗马是多么的不同!他看到在看台上拥挤着各种人群、各种色彩、各色人等变幻不断,真是一个天然的万花筒。他听到人群不断发出的喻喻声,而且时不时地闻到各种刺鼻的各色人等的气味。他看到小贩或商人在人群中挤来挤去,兜售他们的货物或食品。他看见士兵们在各处的岗位上巡视,他看见富人安坐在他们有天棚的包厢里,而穷人只好坐在廉价的座位上,任凭烈日的暴晒。

在他参加竞赛的队伍里,几个贵族政治犯行进在他前面,都是汗流浃背。那个连续五年优胜的克劳迪乌斯的束腰上衣已经洗得褪了色,满是汗毛的粗腿也肮脏不堪。他曾经以为罗马的角斗士一定是四肢洁净、雄姿焕发,如今的现实却全非如此,对方给了他一个深刻的惯于杀人的屠夫形象。这一切都让他感到震惊,这样的罗马给他的印象完全是一个衰败没落的形象。

当他们的队伍终于停在皇帝的包厢前,冯·哈本闻到的只是许多人刺鼻的汗臭。这里的空气燥热得令人难耐,整个环境都让他感到难以忍受。他甚至怀疑这是不是就是他在书上看到的罗马帝国的缩影。

就在这时,他抬头看到了皇帝的包厢。他看到瓦里图斯·奥古斯都今天衣着华丽,坐在他雕花的御座上,几个半裸的奴隶举着羽扇为他遮阳。他看到在皇帝的周围站着几个大汉,穿着绣花的束腰上衣和发着金光的胸甲,手持长矛。这一切都像是夸耀着威严的皇权,他的财富和至高无上的地位。可能瓦里图斯·奥古斯都是一个伟大的皇帝,但是冯·哈本却清楚地知道他在罗马史上只不过是一个无名小辈,他的统治也只限于这个不上史书的峡谷的一小半。

冯·哈本的目光沿着一排包厢看下去。主持竞赛的长官正在宣布有关竞赛的规定。冯·哈本听得见他的声音,却不知道他说的什么,因为这时他的目光正好看见了包厢里的法沃尼娅。

他看到了女孩脸上痛苦、恐惧、无助的表情。埃里克试着向她笑笑,籍以给她些安慰和鼓励。但她似乎只看到埃里克脸上的一点笑容,她的眼泪就流下来,模糊了她的视线。这个她爱的男子在她的视线里变成了一个模糊不清的黑影,就像她心中的痛苦一样。

正在这时,忽然一个在包厢后移动的人影引起了冯·哈本的注意。他皱起了眉头,竭力注视着那个人影。他一再审视,他相信他没有看错,那是葛布拉!他正向皇帝的包厢附近移动,最终被皇帝身后高椅背挡住看不见了。

现在主持竞赛的官员的话已讲完,命令参加竞赛的人退场,准备开始竞赛。冯·哈本一面转身随着队伍向回走,一面在思考葛布拉在这样戒备森严的地方走动到底想干什么。不会是自己看错了吧!竞赛者的队伍刚刚穿行了竞赛场不到一半的地方,冯·哈本忽然听到背后看台上发出了"嘭嘭"两响清脆的声音。在全场所有的各种人当中没有一个人明白这声响的含意,若有,也只有冯·哈本一个人。这是从他的现代武器——手枪里发出了两颗子弹。于是他立刻转身,正看见葛布拉已经翻越过皇帝包厢前的短墙跳到沙地上,正大步流星地向他飞跑而来。

再看皇帝包厢的御座上,瓦里图斯·奥古斯都已经瘫坐在那里,头垂在胸前,胸口正汩汩地向外流血。四个卫兵还不知发生了什么事,只顾木然地站着。

这件事来得太迅速、太突然,"嘭嘭"两声就会死人,人们对此还都没什么反应。这时葛布拉已经跑到冯·哈本身边,对他说:"我替你报仇了,宛那!不管他们对你做过什么,你的仇已经报了。"

瓦里图斯·奥古斯都瘫坐在那里,胸口汩汩冒血。

这时看台周围响起了一片嗡嗡声,似乎人们都在议论着什么,最后不知是什么人突然高声喊叫道:"皇帝死了!"看台上是一片大乱。

冯·哈本这时心里升起了一片希望的喜悦。他转身抓勒普斯的胳臂说:"皇帝死了!你听见了吗?我们的机会来了!"

"你是什么意思?"勒普斯问道。

"皇帝死后这场大乱中,正是我们趁乱逃跑的好机会,我们可以藏在城里的什么地方,到晚上我们可以带上法沃尼娅逃跑。"

"那么逃到哪儿呢?"勒普斯问道。

"上帝!我不知道。"冯·哈本说,"但是不管到哪,都比死待在这儿强。因为瓦里图斯·奥古斯都死了,福浦斯就该继承皇位了。如果我们不及时救走法沃尼娅,那就太晚了。"

"你说得对。"勒普斯同意地说。

"那就赶快把逃走的事告诉大家。"冯·哈本说,"逃跑的人越多,我们成功的机会就越大。"

看台上的士兵和官员以及观众这时只注意皇帝包厢里发生的事,对于"嘭嘭"两声就会导致皇帝死亡,这是峡谷里的人从来不知道的。他们不但没见过"枪",连听也没有听过,所以根本就没有人来追葛布拉。

勒普斯听了冯·哈本的话,转身对其他的囚徒大喊道:"上帝对我们特别仁慈,皇帝死了,混乱中正是逃跑的好机会,我们还等什么?!来吧!快点!"

当勒普斯高喊着向竞技场的大门跑去时,一群高喊着的囚犯一窝蜂地跟上他向外冲去。只有那几个职业角斗士,因为他们是自由人,所以表现得很冷淡,但也没有上前阻止他们。

"祝你们好运啊!"当冯·哈本跑过克劳迪乌斯身边时,他这样高喊着说,"现在要是再有人杀了福浦斯,我们就会有一个真正的好皇帝了!"

囚犯们的突然逃跑使守门的几个士兵无所适从。他们已经失去了官员的指挥,只好任囚徒们冲出大门跑散。过了没有几分钟囚犯们已经跑到大街上了。

"向哪里跑?"其中一个囚犯问道。

"我们各奔前程吧!"勒普斯说道。

"我们可要在一起,勒普斯。"冯·哈本说。

"好!永远在一起!"勒普斯回答说。

"这里还有葛布拉。"当这个黑人和他们走在一起时,冯·哈本说,"他也要和我们在一起。"

"我们当然不能丢掉勇敢的葛布拉。"勒普斯同意,"我们现在最重要的是找一个藏身之处。"

"前面穿过大街就有一堵矮墙,"冯·哈本指着前面看得见的地方说,"而且墙上还有茂盛的树枝遮挡着。"

"那么我们就到那里看看。"勒普斯说,"这里至少现在是一个很好的躲避的地方。"

这三个人匆匆穿过大街,爬上矮墙,翻身进到里面,发现这里是一座废弃的花园,地上长满了野草和矮树丛。他们弯腰走过野草丛和矮树丛来到后面一间屋子。屋门斜挂在那里,只有一只锈蚀的合叶连着门框,百叶窗已经掉在地上。门口有一堆垃圾也无人清理,显然这里是一座被主人抛弃已久的房子。

"也许这里正是我们要找的藏身处,可以一直躲到晚上。"冯·哈本说道。

"它离大竞技场不算太远,这也是一个优势。"勒普斯补充说,"因为他们一定以为我们向远处逃跑了。其实我们就躲在他们的眼皮底下,反而安全。让我们进去看看,这里没有人住才好。"

这后面的屋子大概曾经是一个厨房,因为有一架残破的烤炉设在房间的一角。有一条长凳和一张破旧的桌子。穿过这间厨房,后面还有一个房间。这两间房子共同组成一套房子。前面这间屋子较大,临街的窗户百叶窗还关得好好的,所以房子里显得有些幽暗。在房子的一角有架梯子,可以通到天花板上的一个活板门。从这里仔细查看这座房子,除了靠墙有一堆零乱的破布头,再也没有什么别的东西,大概是无家可归的流浪乞丐的床铺。

"再没有比这里更合适的地方了。"勒普斯说,"这里就好像是专为我们建造的一样。为什么呢?因为这里有三个出口,如果我们被迫逃走的话,一个通到后面的花园里,一个通向大街,还有一个可以爬上屋顶。"

"我们可以安全地暂留在这里。"冯·哈本说,"等到天黑了以后,我们通过黑暗的街道,就可以神不知鬼不觉地摸到法沃尼乌斯家里去。"

二十二
肮脏的阴谋

沿着从撒奎纳琉斯军团到梅里军团的大道上,走着约五千人的队伍。瓦齐里武士头上晃动着白色羽毛,紧跟在泰山的后面。健壮的罗马人组成的军士队伍跟在马克西姆的后面。撒奎纳琉斯城外的蛮人武士们则在队伍的最后面。

受雇于军队的土人夫役们汗流浃背,拖着弹弩、弩炮、大盾、大破城锤以及其他古代战争机械,走在队伍中间。有些难行的路段,他们还要假手军队的帮助。此外他们还带了云梯、城墙钩和向守军投掷的火弹等装备。所有这些笨重的装备不时阻碍整个大队的行进速度,这令泰山有些烦躁。但是他又不得不听从马克西姆、卡修斯和麦塔卢斯的劝告和安抚,因为这一切都是攻取敌人城堡的必要装备。他们认为宁肯备而不用,也比用而不备强。泰山只好听从他们的意见。

沿着尘土飞扬的通向梅里军团的大路,瓦齐里武士们一面步伐整齐地迈着大步,摇晃着身躯,一面齐声唱着他们民族的战争歌谣,特别增加了整个队伍不可战胜、所向披靡的气势。

成千的归服新帝国的队伍人数众多,只有马克西姆是他们唯一熟悉的老军官,天气又热,不免纪律松弛。他们沉重的头盔只有一根细绳挂在背上,在身边摆来摆去。他们的盾牌则完全背在背后,由一根皮条斜挂在肩上。他们正像一些老兵一样,为天气炎热和道路难走发出一些怨声和咒骂。至于那些从城外征调来的武士,则一路上又唱又笑,东拉西扯地谈话,与其说是一支军队,不如说更像一群外出野餐的人们。好在他们走在最后,不至于扰乱整个队伍的严肃和秩序。

正当这支庞大的队伍行进到梅里军团的城堡前,面对护城河、堤岸、栅栏和塔楼时,城里的统治阶层正忙成一团。奴隶们刚把瓦里图斯的尸体抬进皇宫,而福浦斯这时也慌了神,手足无措。一群善于阿谀奉承的马屁精正围着他转。他也急于宣布自己是继任的皇帝,尽管他内心也在打鼓,不知自己未来的命运究竟如何。虽然他是一个傻蛋,只学会了进谗诬告,但他也知道自己的名声不怎么好,许多贵族都比他有威望得多,更有资格获得紫袍的继承权。

穿过城内的街道,梅里军团的一些士兵们正在搜寻逃散的囚犯,特别想找到那个杀死皇帝的人。他们没人认得葛布拉,也没人敢确定杀死皇帝的就是那来自遥远乌伦比的黑人。

几个小偷和五六个被判重罪的角斗士,此时都聚集在下城区一处贼窝里。因为这里不仅有酒喝,而且还有别的一些适合于他们这个阶层的娱乐方式。

"我们这位新上任的皇帝福浦斯究竟是怎样一个人?"这群人中有一个问道。

"他大概比瓦里图斯还要糟糕得多。"有一个人说道,"我在澡堂子里见过他,那时我正在那里工作。他又笨又无知,却很自负,就连贵族们都讨厌他。"

"有人说他要和法沃尼乌斯的女儿结婚。"

"我今天在竞技场还见过她。"另一个人插嘴说,"我认得她,多次见过她。在我进土牢之前,她多次到我父亲的店里来买东西。"

"你经常去法沃尼娅的家吗?"另一个人问道。

"是的,我去过。"这个年轻人回答,"有两次我拿了货物让她看。还穿过她家前庭,到过她家的花园呢!我对那地方很熟悉。"

"如果能把她弄到手,不但会得到自由,而且还会获得一大笔赎金。"一个贼眉鼠眼的人建议说。

"这可是一桩天上掉馅饼的好事。咱们都有力可出,也有肥可分。"

"我们要是被抓住就都没命了。"

"凭什么被抓住?我们现在不是都逃出来了吗?"

"这可是个好计划。"

有好一小会儿,他们都在喝酒,一声不响,各自打着自己的小算盘。显然这个计划颇费他们脑筋,也使他们真的动心了。

"新皇帝一定肯为他的新娘出一大笔钱。"

年轻人高兴地站起来说:"我领你们到法沃尼乌斯家去。保证他们会给我开门,让我进去,因为我知道对他们说什么。只是我还需要一个大包袱,因为我好说这里面装的都是货物,是我爸希望法沃尼娅看看的。"

"你看起来并不像你长的那样傻头傻脑呀!"

"当然!不过我要分一大份赎金,因为诸事都得我出面。"这个年轻人声明说。

"如果能有赎金的话,我们会公公平平地分配的。"一个自发领头的人宣布说。

夜晚已经降临,泰山的大队人马就停在梅里军团的城防前。攻陷城堡的事都交给卡修斯负责。所有军队、人马的配置以及各种攻城武器的安置也都由他指挥管理。

在城里,冯·哈本和勒普斯正在讨论逃跑计划的细节。按照勒普斯的意见,要等到午夜过后再离开他们的藏身处。

"那时大街上就没有什么人了。"勒普斯说,"除了巡逻队偶尔会在大街上出现。他们手中的火把早就会宣布他们的存在,我们很容易躲开。我有我叔父花园的钥匙,这样可以保证我们悄悄进去,不会被人发现。"

"或许你是对的。"冯·哈本说,"但是要等这么长时间,而且这一段时间我们一直没事可干,可能让人受不了。"

"要有耐心,我的好朋友。"勒普斯说,"福浦斯正忙于他新上任的皇帝事务,暂时不会立刻留心别的事。法沃尼娅暂时也会是安全的,至少以后几个小时还不会有什么事,我们还是耐心一点吧!"

正当他们这样讨论的时候,远处一个年轻人正敲响法沃尼乌斯的家门。沿墙大树的荫影使这一带都处在黑暗中。一个仆人提着灯笼到门口来,通过门上一扇小格栅询问谁在敲门。他问外面是谁,有什么事要黑夜前来?

"我是塔伯的儿子。"外面的年轻人说,"我从我父亲的店里拿了些纺织品来。想让法沃尼娅小姐看一看。"

仆人听了，犹豫了一会儿。

"你一定记得我。"年轻人说，"我常来这里。"

仆人把灯拿得高一点，从格栅向外看了看说："我见过你。我去问女主人看她是否愿意见你。你就等在这儿。"

"这些织物都很值钱。"年轻人说着拍了拍他背上的包袱，"能不能让我进去在门洞里等候？免得有贼人发现抢了去。"

"好吧！"仆人说。然后打开门让年轻人进来，说："就在这儿等我回来。"

当仆人进入内宅以后，塔伯的儿子很快转身拔开门闩，打开大门，探身出去，低声发出预先约定的暗号。几个藏在树荫下的黑影立刻窜进门来，躲进门洞旁边的门房里，塔伯的儿子很快把他们安顿好，然后关上大门等在门洞里。

仆人回来了。法沃尼娅怎么也想不起向塔伯订货的事，告诉仆人回绝他。仆人回到大门洞里对年轻人说："法沃尼娅说没有向塔伯订过什么货，而且她也不想晚上看什么货。把东西都拿回去吧！"

这样的答复可是塔伯的儿子没料到的，他只好拼命思考另外的借口。尽管在仆人眼中这个年轻人有些笨头笨脑的样子，可是最后还是被他想出了借口。

"快点！"仆人催促说，一面走到大门跟前去拉开门闩说，"你得走了！"

"等一等！"年轻人悄声说，"我有一个重要的消息要带给法沃尼娅，这消息不能让别人知道。因此我只好说我带来了货物，这只是一个借口。"

"是什么消息？是从谁那里听来的？"仆人疑心地问道。

"这只能告诉她一个人。把这件事告诉她,她就会明白是什么消息,从哪里来的。"

仆人听了半信半疑。

"把她叫到这里来。"

年轻人说道:"最好家里再没有别人知道她来见我,免得走漏风声。"

仆人一面摇头一面却说:"我会去告诉她。"他知道勒普斯和冯·哈本白天从竞技场上逃走了,所以他猜想这消息可能正是来自他们中的某一个人。当仆人迟疑地转身走了之后,塔伯的儿子不由得为他的成功窃笑了。他相信法沃尼娅会亲自前来,听取这桩她期盼的秘密消息。

果然,没等多久,仆人和法沃尼娅来了。当她走向这年轻人时,她显然很激动。

"告诉我,"她激动得声音颤抖地说,"你是不是从他那里带了话来？"

塔伯的儿子竖起了一根指头,放在嘴上示意她小声点说:"不能让任何人知道我到这儿来,只能你一个人知道这消息。现在最好把你的仆人打发走。"

"那么你走吧！"法沃尼娅对仆人说,"当这个年轻人走时,我会打发他走。"

仆人听了,高兴地离开了,觉得省却了自己的责任,于是沿着走廊回到他的住处去了。

"告诉我,"女孩悄声说,"你带来谁的消息？他在哪儿？"

"他在这儿。"年轻人指着接待室说。

"这儿?"法沃尼娅不信地问道。

"是的,这儿。"年轻人说,"快!"然后他突然紧紧地抓住她的手,另一只手捂住她的嘴,把她推进了接待室。

黑暗中,几只粗壮的手立刻抓住了她,她的嘴立刻被布塞起来,而且四肢被捆绑起来。她只能听到他们低声的谈话。

"现在我们分头行事。"一个像是头领的人发令道,"两个人把她送到地方。一个人去皇宫给福浦斯送一张纸条,这样皇宫卫士会找到她。其他人分开走不同的路线,到大竞技场外那间房子集合。你们知道那个地方吧?"

"我知道那地方,好几个晚上我没地方去就在那里睡过!"

"很好。"那个像是领头的人说道,"现在我们就走好了。我们没时间再耽搁了。"

"等等。"塔伯的儿子说道,"我们还没有决定赎金的分配。没有我,你们什么也做不成,我至少应该分一半。"

"啪!啪!"年轻人立刻挨了两个嘴巴。"闭嘴!"那个领头的人斥道,"你要是什么也分不到,没准还是你的福气呢!"

"最好给他肋条上捅上一刀!"另一个人咕噜着说。

"你难道不想给我应得的那份吗?"塔伯的儿子追问道。

"闭嘴!"那个领头人低声喝道,"快走!小子们!"法沃尼娅被卷在一块脏布里扛着离开了家,在没人注意的黑暗中。塔伯的儿子这时有些无奈地向相反的方向离开。

一个年轻人穿着又脏又破的束腰上衣和陈旧的凉鞋走近皇

宫的大门。一个士兵横起长矛挡在他面前,盘问道:"你晚上在这里游逛什么?这是皇宫,你不知道吗?"

"我有个消息要告诉皇帝。"年轻人回答说。

军士听了大笑着讽刺:"那么是你进去向皇帝报告,还是叫皇帝出来听你说?"

"你最好把消息带给他,军士。"年轻人说,"如果你识得好歹,你会一刻都不耽搁地去报告。"

年轻人严肃的口气引起了军士的注意,军士问道:"说来听听,是什么消息要立刻报告皇帝?"

"赶快到他那儿去,告诉他,法沃尼乌斯的女儿已经被劫持。如果他立即派人去,他们会在竞技场大门马车道的对面一座空房子里找到她。"

"你是谁?"军士问道。

"这无关紧要。"年轻人说,"明天我会来领我的赏金。"说完他转身就走了。

这时在空房子里,冯·哈本有点着急地说:"在这样的黑夜里街上早没人了!"

勒普斯这时把一只手放在他朋友的肩上说:"你这就等不及了!记住,如果我们能等过了这个午夜,对法沃尼娅和我们都一样更安全些,因为现在街上还有许多搜寻队。今天下午我们不是一直听到有士兵来回走过吗?他们都没有来搜查这座旧房子,不能不说是一个奇迹。"

"嘘!嘘!"冯·哈本小心地说,"是什么响?"

"听起来像是这座房子的前门开门的声音。"勒普斯说。

"他们来了！"冯·哈本说。

这三个人立刻抓起他们从竞技场门卫那里抢来的腰刀。葛布拉虽然拿着冯·哈本的手枪，但是他觉得枪声太响，而且里面只剩下了五六颗子弹，所以他们进了这座空屋以后，就决定不到万不得已绝不用武器。武器只为防身，如有人来他们就先躲到天花板上去。而把天花板上的翻板门留一点小缝，倾听下面的动静。如果搜寻的人想爬上梯子搜寻天花板，他们再动武不迟。

冯·哈本仔细听着下面的动静。有人说："好啦！我们成功啦！"接着又说："没人看见我们，他们也来了。"接着冯·哈本听见外面临街的门又响了一声，显然房门又打开了，又有几个人进来。

"今天晚上这活儿干得漂亮。"一个人说道。

"她还活着吗？我听不见她的呼吸声。"

"把塞她嘴里的东西拿出来。"

"难道想让她求救吗？"

"我们会叫她不要喊。她要是死了，就对我们什么用也没有了。"

"好的！那么把它拿出来就是。"

"听着！我们把塞你嘴的东西拿出来，如果你喊叫，那对你一点好处也没有。"

"我不喊！"一个女人的声音说道。这女人的声音，冯·哈本很熟悉，听起来让他心跳不止。尽管他以为这可能只是因为他太想念她——法沃尼娅所引起的一种幻觉。

一个男人的声音说："如果你安静一点，皇帝又会送赎金来的话,我们不会伤害你。"

"如果他不来赎我怎么办?"那女孩问道。

"那你父亲法沃尼乌斯肯定也会送钱来。"一个男人说。

"老天!"冯·哈本咕噜道,"果然是她。勒普斯,你听到了吗?"

"我听到了!"罗马人回答说。

"那么,快!"冯·哈本小声说,"快!葛布拉,法沃尼娅就在下面。"

已经顾不得小心谨慎,冯·哈本拔开翻板门的销子,掀开门就跳了下去,勒普斯和葛布拉也跟着跳了下去。

"法沃尼娅!"他叫道,"是我!你在哪?"

"这儿!"女孩叫道。

在黑暗中,他猛地向她发出声音的地方扑去。冯·哈本遇到一位劫持者,这个人一把抓住了他。而另一个劫持者以为冯·哈本是来捉他们的军士,就转身逃走了。他来不及关门,外面满月的光亮照进屋来。此时月光照得清楚,一个彪形大汉正压在冯·哈本身上,掐着他的脖子,另一只手想拔出刀来,不料这时勒普斯和葛布拉都扑了上来,葛布拉猛地一刀戳进了这大汉的胸膛,他翻身滚倒在地上,恶人一命呜呼。

冯·哈本立刻跳起来,直奔法沃尼娅。她身上裹着一大块破布,靠墙倚在那里。很快他割断了她身上的绳索,扶她站起来。法沃尼娅告诉他们事情的经过。

"如果你没被吓坏。"勒普斯说,"我们倒要感谢这些坏蛋,反而让我们省了许多工夫。在这里我们可以一道计划如何逃跑,这比我们原来的计划至少提前了三个小时。"

人猿泰山·失落的帝国　　199

"让我们抓紧时间。"冯·哈本说,"除非我们很快跑出城去,我无法感到真的自由自在。"

"我以为我们已经用不着太担心了。"勒普斯说,"因为我曾是守城的军官,所以我知道我们的城墙防守疏漏很多,不少地方可以很容易翻到城外去。而且我知道至少有十几个地方可以找到渔船。前途如何只看老天保佑了。"

葛布拉原来就站在门口,忽然关上门,快跑到冯·哈本跟前说:"有一片火把正从大路向我们这里移动,宛那。我看过来的人一定很多,很可能是一队士兵。"

四个人一齐注意听着,确实是一大队人行进的脚步声。

"这是一群搜索的人。"勒普斯估计说,"等他们走过去,我们就可以安全地离开了。"

光亮是由一队士兵的火把发出来的。它们的光亮越来越近,直到透过百叶窗的缝隙照进屋里来。但是队伍并没有像他们希望的继续走过门前,反而停下来。勒普斯用一只眼透过百叶窗向外望去。

"他们就停在这座房子的门前。"他小声说,"一部分拐过了房角,但其余的就留在门前。"

他们几个人都停在那里不出声,只不过一小会儿,而他们感觉却好像过了很长时间。他们听到声音在屋子前面的花园里响起,火把的光正穿过厨房的门照进来。

"我们被包围了。"勒普斯说,"他们会从前门进来,他们肯定会搜索整座空房子。"

"那我们怎么办?"法沃尼娅轻声喊起来。

"这屋顶是我们唯一的希望。"冯·哈本小声说。就在他说这话的时候士兵脚上凉鞋的走路声已经清楚地传来。火把的光亮也从门缝照进来。

"我们已经没有机会了。"勒普斯说,"我们不可能抵挡整个百人队的士兵。"

"我们还是可以和他们战斗。"冯·哈本说。

"那么我们就是白搭上法沃尼娅的性命也没有用!"勒普斯说。

"你说得对。"冯·哈本想了想,不得不承认勒普斯的话是现实的。他不由得焦急起来。"那么等等,我有个计划,快点!法沃尼娅,你快躺下,我用这些破布把你盖起来。勒普斯、葛布拉和我是逃不掉了,但是他们决不会猜到你也会在这里。等军士都走了,你可以就到大竞技场的卫兵室,让他们派人把你送回家。"

"让他们把我也抓起来吧!"女孩说,"如果你被抓了,我愿永远和你在一起。"

"那没有用。"冯·哈本说,"他们一定会把我们分开。而且他们如果在这里抓到你,你父亲也会受牵连,还是快躲起来好。"

争论再没有继续,法沃尼娅就躺到地上,冯·哈本他们三人立刻用破布把她盖了起来。

二十三
兵不血刃

卡修斯在梅里军团的防城前指挥配置他的军队，安放各种攻城武器。天还墨黑一般，不便发起进攻。这时他忽然想到了另一个计划，于是他邀了泰山、麦塔卢斯和马克西姆一道，派了几个士兵手持火把，举了一面休战旗来到城门跟前。

这时的城堡里人们正乱成一团。头一天傍晚，守城军官看到撒奎纳琉斯军团空前庞大的军队以后，就派人送信给刚登基的福浦斯。增援的士兵也陆续来到了城堡内。这里的人认为这是撒奎纳琉斯军团苏布拉图斯皇帝就职以来，发动的一次空前规模的袭击。尽管他们作了守城的准备，但是他们对于能否抵挡得住对方如此强大的军力惴惴不安。当指挥军官看到对方带了休战旗前来，甚是诧异，站在城堡门上询问来人意图。

"我们有两个要求。"卡修斯高声说道，"第一，立刻释放勒普斯和埃里克·冯·哈本。第二，允许我回到梅里军团并且享受符合我地位的权益。"

"你是谁？"天还有些黑，城上军官看不清说话人是谁。

"我是卡修斯，你应该熟知我的名字。"

"唉呀！仁慈的上帝，这真是太好了！"城上守城军官大喊道。

这时，城堡内许多人听到城外的人原来是他们敬重已久的卡修斯，都齐声高喊出："卡修斯万岁！打倒福浦斯！"

接着城门"嘭"的一声不知被谁打开了。守城的军官从城堡上走下来，迎出城门来，原来他正是卡修斯的一个好友，他冲上前来拥抱卡修斯。

"这是什么意思？发生了什么事？"卡修斯问道。

"瓦里图斯·奥古斯都白天在竞技场被人刺杀了！福浦斯自己僭取了皇帝的名号。你来得正是时候，所有梅里军团的人都会欢迎你！"

沿着梅里的大道，从城堡到湖岸，穿过浮桥到湖内的岛上都有西部新帝国的军队在行进。消息也已传进城里，人群都聚集在各处的大街上，喊叫着欢迎卡修斯的到来。

在那座竞技场旁荒废的房子里，四个男女逃亡者正等待着福浦斯士兵的进攻。但很明显这些士兵虽有军官的指挥但并不想冒险。他们完全包围了这座房子，但似乎不急于进去把人捉走。

"看起来我们抵抗没什么用了。"勒普斯对从大街上进来的军官说，"我们会不加反抗地回到土牢里去。"

"先别急。"军官说，"那个女孩在哪儿？"

"什么女孩？"勒普斯装傻地说。

"当然是法沃尼娅□！"

"我们怎么知道？"冯·哈本假装不知地问道。

"你们劫持了她，并把她弄到这里来。"军官回答说。接着他又下令道："搜查这座房子。"

果然不一会儿军士就从破布下发现了法沃尼娅,并把她拉了起来。

军官看了大笑起来,接着他命令三个人放下武器。

"等等!"冯·哈本说,"你们想带走法沃尼乌斯的女儿干什么?难道你看不出我们会把她安全送回家?"

"我是从新皇帝那里得到命令的。"军官回答说。

"新皇帝和她有什么关系?"冯·哈本质问道。

"他命令我们把法沃尼娅带到皇宫去,而把劫持者就地正法。"

"我们不是劫持者,她的劫持者早被我们赶跑了,不信你们问她好了。如果你们非把我们当成劫持者,那么新皇帝就得付出相应的士兵的性命。"最后一句话冯·哈本大声喊着说出来,并拔出刀来,逼得军官向外退去。这时葛布拉、勒普斯受到冯·哈本突然行动的鼓舞,也都拔出刀来作势向梯子上爬下来的几个士兵冲去。受到突然攻击的士兵们仓惶失措,都向外退去。领头的军官也从这座破房子退了出去,并对持长矛的士兵说:"房子里有三个男人和一个女人,把三个男的都杀掉,但那个女人一点也不许损伤。"

他的话还没有说完,就看到大街上的人都呼喊着奔跑过来。人们的喧哗是从城门方向沿大道向城内传来,更好像发自城堡外的大桥,沿梅里大道传进城里来。当他转身向那个方向看时,只见许多持火把的人,欢呼着口号,夹杂着众多的脚步声向这里走来。

究竟发生了什么事?他已经知道,就像许多梅里军团的人理解的那样,苏布拉图斯(他们并不知道苏布拉图斯已经死了,撒奎纳琉斯军团换了新皇帝)的大军昨天已经在城堡外扎营。只是没听说双方发生过战争,所以不可能是城外的敌军已经杀进城来。如果是增援部队,那也该是向城堡方向去,怎么反而向这里走来?他没法理解这种情况,更不了解为什么群众对走过来的队伍表示欢迎。

他看着走过来的队伍,大家清晰地欢呼"卡修斯"的名字。他就问几个欢呼的人:"发生了什么事?"

"卡修斯带领大队人马回来了,而我们这里的福浦斯已经逃跑躲了起来。"

民众的欢呼和回答,在空屋里的几个人也都听到了。

"我们得救了。"勒普斯高兴地大声说,"卡修斯决不会伤害他的老朋友法沃尼乌斯的。躲开,你们这几个傻瓜。如果你们是聪明人就该知道,你们该走了。"他对那两三个留下来的士兵说,然后就向门边走去。

"出来!"这时军官也在外面喊起来,"到大街上来,不要对勒普斯以及卡修斯的朋友们动手。卡修斯现在是东部的皇帝了。"

"我猜这些人到底明白了黄油该抹在面包的哪一面了!"冯·哈本做了个鬼脸笑着说。

现在,法沃尼娅、冯·哈本、勒普斯和葛布拉从他们藏身的地方——那座废弃的房子走到大街上来。有一大队行进的人手中拿着火把,把黎明前黑暗的大街照耀得如同白昼。

"这是卡修斯!"勒普斯指着走在前面的一个罗马人说,"没错就是他,那么和他一起的另外几个人是谁?"

"他们一定都是撒奎纳琉斯人□！"法沃尼娅判断说,"但是看哪！他们中的一个穿着像个蛮人。看！这些穿着奇异的武士,他们头上都插着白色的羽毛整齐地紧跟在这蛮人的后面。"

"我一辈子从来也没见过这样的人。"勒普斯说。

"我也是！"冯·哈本说道,"但是我听说过,也确实肯定他们就是我多次听说的那些人！那个白人大个子是人猿泰山,他后面的武士就是他庄园上的瓦齐里武士们。"

因为看见一个约百人的队伍站在那座房子前,卡修斯让大队停下来问道:"指挥这些人的百夫长在哪？"

"是我！光荣的皇帝。"那个百夫长模样的军官回答说,他也就是来捉劫持法沃尼娅的人。

"那么你就是被福浦斯派来找勒普斯和蛮人冯·哈本的军官吗？"

"我们在这儿,皇帝！"这时勒普斯忽然大叫道。法沃尼娅、冯·哈本和葛布拉都跟在他后面站了出来。

"真是要赞美上帝！"卡修斯高兴地大声说,走上前来紧紧地拥抱了他的老朋友。接着问道:"但是那个蛮人头领,来自日耳曼的人在哪儿？他的名声甚至撒奎纳琉斯军团的人都知道。"

"这是他！"勒普斯说着把冯·哈本拉到前面来,"这就是埃里克·冯·哈本。"

泰山这时走到跟前来用英语问道:"你是埃里克·冯·哈本吗？"

"那么你就是人猿泰山了?!我知道你。"冯·哈本也用英语大声高兴地回答。

"你现在看起来已经完完全全像个罗马人了。"泰山微笑着说。

"但我还是觉得我浑身上下都像个蛮人。"冯·哈本咧嘴笑着说。

"不管罗马人还是蛮人,当我把你带到你父亲面前,他都会高兴的!"

"你到这来就是为找我的吗?人猿泰山先生?"冯·哈本问道。

"看起来我们来得正是时候!"泰山说。

"我怎么感谢你才好!泰山先生?"冯·哈本大声说。

"用不着感谢我,我的朋友。"泰山一面回答,一面拍拍肩上的小猴子说,"谢谢小尼可玛就行了。"

家贫也读书(代后记)

孙亚英

中国自古以来,家贫而能读书,且有成就者,并不乏人。我何以要写这样一个题目呢?因为我心里憋着一口气。"文化大革命"时期,我作为中央下放干部,到了四川一个小县份上,也正因此,在那里,我这个新中国建国初期的大学毕业生,要算文化冒尖的了,于是有幸成了被整的重点人头。今天我再来猜想当时整我的那些人的想法,大概是认为既云文化革命,理应从有文化的人身上开刀吧?不然,当时我只是一般干部,不在领导岗位上,我又是个不事张扬的人,平时并不引人注意,应该不会成为被整的对象。可是从"文革"一开始,第一批就成了重点,于是整人的那些非常手法我都领教了一个遍。一位经常找我谈话的姓潘的人,多次问我一个问题:"你总说小时候家里贫苦,家里贫苦怎么能读完大学呢?光从这点看,你就不老实。"当时是非常讲家庭成分的,仅此一点,似乎我就是隐瞒自己的剥削阶级家庭成分,向党撒谎。其实,这是个多么想当然的概念化的推理。生活中的现实,有着多种多样的机遇,况且,解放前的教育制度,说这种话的人也并不了解,就这样理直气壮地把这个当作打人的砖头,似乎凭此就可以给人定一条罪。潘某这种观点,似乎不仅他一个人有,还颇代表一部分人的想法。为此,我想说一说处在一个寡母带孤女的家庭里,我究竟是怎样读出书来的。

一、榜上有名喜变忧

我与一般的孩子不同,有一个清贫而孤寂的童年。我是母亲的独生女,父亲又较早地病故了,很长时间家里只有我和母亲两个人。母亲是粗识字的家庭妇女。外祖父母是旗人,辛亥革命以后,他们也断了生活来源,而且在我小学时也双双病故了。所以,我的父亲一死,家里就没有可靠的经济收入了。幸亏母亲的针线活儿很好,有人喜欢找她剪裁缝制衣服。这样,总算有些不固定的收入。我和母亲就这样生活在古都北京。

我小学毕业是一九四一年,母亲为我四处打听考哪个中学好。当时北京的中学分三种:一种是国立的,一种是市立的,一种是私立的。据说国立的最好。私立的学校虽好,学费最高,这当然不在我家的考虑之列。最后,母亲为我选了两所学校,即市立女一中和国立师大女附中。若论离家较近,是南长街的女一中,若论师资阵容强、牌子硬,当然是师大女附中。我当时虽然不太懂事,但小小的好胜心,已使我把重点放在了师大女附中上了。

考试那天是母亲送我去的,我当时浑浑沌沌,并不懂得害怕,每一门课就那么答下来了。考完之后,母亲在路上告诉我:

"我几次隔着玻璃窗看看你,你都在低头写,看样子没有慌,也没见你东张西望。"我只听着,没说什么。过了一会儿,母亲又说:"我看你这次很难考上,跟你一起考试的都是些大姑娘,哪个不比你大呀?光自行车就摆了那么一大片。你跟人家比,简直是个小豆子。"我还是听着,仍旧没有说话。

以后就是一串等待的日子,等着发榜。女一中先发的榜,我考上了。母亲问我:"你是就上女一中呢,还是等女附中发榜?"我毫不犹豫地回答:"等女附中发榜。"

女附中发榜的那天,还是母亲和我一起去看的。毛笔写在大红纸上的榜文,就贴在校门内的墙上,不少人都在看榜。我似乎比母亲眼尖,先从榜上找到了自己的名字,马上嚷了起来:"妈!有我,在那儿!"母亲顺着我的手看过去,把我的名字端详了半天,喃喃地说:"真考上了,还不错呢,一百多人里,你在十多名上。"我抬头看看妈妈,她脸上浮现出一种不常见到的微笑。

我带着一种喜悦的心情陪妈妈步行往回走。这一段路很长,从西城的西单商场,穿过东西长安街,走到东单的裱褙胡同,等于走了一个穿城。奇怪的是,这一路上,母亲竟一直沉默着,一句话也没说,几次我抬头望望她,母亲总是一脸严肃,似乎找不到一丝高兴的神情。我心里非常纳闷,妈妈不是说过,小豆子可能考不上吗?现在小豆子考上了,妈为什么连笑容都没有呢?真不明白!妈妈一向很严厉,她脸色不好时,我是不敢多嘴的。

好容易走到家,我和妈妈都累了。进屋,妈妈一下子坐在一个凳子上再没动,我赶快给倒了一碗水,妈妈还是没说话,她呆呆地似乎在望着什么地方,又似乎什么都没看。我不知道妈妈怎么了,又不敢问,她不像是累了,母亲素来身体好,我童年时,随母亲到外祖母家去,比这个远得多,母亲都没累成这样子过,这次是怎么了呢?

过了好长时间,母亲忽然"哇"地一声大哭起来,这可把我吓坏了。母亲一向坚强,很少流泪,更不用说大哭了,我手足无措,不知自己做错了什么,自然更不敢多问。好一阵子,母亲止住了哭,用低沉的声音对我说:"孩子!你好好听着,妈没想到你会考上,如今你真考上了,若不让你上,妈对不起你;若让你上,妈供不起你,我看,只有这一个办法了:妈给你交上第一学期的学费,以后,你能考上前三名,能免费,你就上,不能,只好算了。妈实在没那个力量,孩子!看你自己吧!刚才看完榜,我已经问清楚了,前三名可以免费。"

我一下子明白了。这一晚上我想了很多,记得母亲常对我说,女人要端自己的饭碗,在别人下巴底下接饭吃的日子是不好过的。而我要自立,就必须读好书,学好本领。如今考上了国立学校,不能不上。而家里的经济情况,确如母亲所言。摆在我面前的路只有一条:靠自己!别无选择。

就在这一晚,我下定了决心:咬紧牙,争口气,无论多苦,我必须把中学六年读下来!多少同学仰望的国立师大女附中啊!我怎么能放弃?

于是,我开始了漫长的、艰苦的而又是成功的六年。

二,苦,但乐在其中

既然下定了决心,我就想好自己无论如何,也要凭自己的力量苦挣着读过这六年。母亲是说一不二的,我也知道她说的是实情,她凭做针线可以养活我,但没有力量再供我读书,我不能再指望母亲更多地帮我,我也不能奢望亲朋的帮助。我家在北京本来也没有什么亲戚,因为父亲是浙江人,从小被人带到天津,学了一门手艺后,定居在北京。从他那一代,与浙江老家已没有什么来往;母亲是北京人,她是外祖父母的独生女,外祖父母一过世,母亲娘家也就没人了。父亲在北京虽有一些朋友,但人一不在,人情也就不在了,我不能指望谁来帮我。当时我只有十二三岁,虽然感到过悲凉和恐惧,但同时也助长了我一种自强自立的心理,加之母亲又从小给我灌输了一种想法,她常说:"咱们女人要端自己的饭碗,不能在别人下巴底下接饭吃,否则,一辈子受气。"这句话给我的印象非常深。在这里我似乎不应该说父亲的坏话,可我确实记得父亲不声不响,很多事明明刁难母亲。母亲是个好强的人,从来不吵也不哭,我却看出她很生气。母亲忍气吞声的印象,也使我暗暗下决心,一定要读好书,自立!师大女附中在北京是颇有名气的,我不能不读。

开始步入中学时,我首先要考虑的就是一些必要的花销该如何节省。譬如,我住家在东城,学校却在西城,路相当远,同学们有的骑自行车,有的乘当时仅有的交通工具——有轨电车。而这两样都必须花钱。我不行,于是我决定上下学都步行。这条路线等于把北京的内城走一个东西通城,从我家住的胡同走到东单,有一段路,从东单经过东西长安街走到西单,其距离相当于走过三个城门,即从崇文门经正阳门到宣武门,然后从西单往北拐,再走两站路,进辟才胡同,才到学校。全长十多华里,天气好时需一个多小时,若遇狂风雨雪天气,则需将近两个小时。六年中,我绝大部分是这样走过来的,一天两趟。冬季,往往是天没亮出门,回来时天已黑了。北京当时路况不好,下雨时胡同里都是泥泞,雪后冻成冰,像镜子一样滑,跌跤是常有的事。

第二件事就是教科书必须自己买。母亲帮我打听到,东四牌楼隆福寺的废旧书摊上,有卖旧教科书的。于是我就到那儿去搜寻,买一两本容易,要凑够所需的一整套,却需费些功夫。后来听说东安市场也有卖的,我也去找过。总之,每次都像沙里淘金一样,好不容易才凑足我需要的一套。这样虽费时费力,但算下来,比买一套新书能便宜三分之二或者还多些。好在当时的教科书都是教育总署编的,一用就是多少年,不像现在这样,在短时间内,内容就有所改变。

从节流又想到了开源。入学之后不久,我就从同学处学会了织毛线,有的同学手里还有织毛衣的书,里面可以学到一些花样和各种衣物的打法,如何收针放针等等。我慢慢练习,也感到很有兴趣,当时有一种很流行又比较讲究的花样,叫"凤尾形",十八针一个花,我也学会了。到初中二年级时,我已能打成件的东西了。母亲在揽针线活时,也顺便给我揽一些毛线活,我也能挣些钱了。这种收入并不固定,时多时少,时有时无,收入较多时,我不但可以买些纸笔,有时甚至能买一个月的电车月票,或贴补一些家用。教务处管登记购买月票的郭劲甫老师有时问我:"你为什么不月月都买月票呢?"我只笑笑,不作任何解释。

为了达到母亲的要求,顺利地把中学六年读下来,光考虑在经济上开源节流是远远不够的,要取得优异成绩,我必须比一般同学更加努力,严格要求自己,加倍刻苦才行。在学习上我给自己立了些规矩,也想了些办法。例如有一句我自己才懂的话,那就是"当天的饭当天吃完,绝不带账"。意思是说老师当天教的功课,一定要当天认真回顾一下,是否当真懂了,若有一点不理解或吃不透的地方,不要含糊过去,当天或第二天问老师,力求弄明白为止。凡是该熟记或该背下来的地方,也一定当天记完、背完,绝不能等到考试前再一起复习,那样做既吃力,效果又不好。当天的功课当天复习,趁热打铁,数量不多,效果又好。过一段时间,譬如一个星期(那时兴月考,每月都考一次),再回过头来复习一遍。我坚持这样做,没过多久就尝到了甜头,以后我就一直坚持这个自律规则,"当天的饭当天吃完"。最要紧的是坚持,不许自己找任何理由松懈。

另外,课前的预习也很重要,但我并不是所有的课都做预习,史、地、数、理、化等我不大预习,但国文(那时古文的份量很重,整本都是古文)和英文两门课一定预习。国文是先对照着注解把课文看了,然后再注意听讲,这样,自己原来理解得不对的地方,清楚明白地得到了纠正,原先不明白的地方,由于事先有准备因而更加注意听。英文则是自己先查生词,有准备地听课,首先注意自己的读音是否有不准确的地方,及时纠正;其次,要注意老师讲的文法。英文和中文不同,往往每个生词都查完了,一个句子还是不能懂,原因大多出在文法上。有时也因为英文词汇的一词多义,我们用的大多是非常小的词典,包含不了很多的解释,等老师讲完了,就知道毛病出在哪个单词上了。总之,认真预习给了我很多好处。

后来,我很快发现,上下学路上的时间并不短,应该很好地利用起来。早晨上学的时间,往往做不了什么,因为我要匆匆地赶路,唯恐迟到;而下午放学的时间,我就从容了,可以沿着东西长安街缓缓地走,该背诵的东西,常常在路上就背完了,回到家只做需要伏案的功课。这样,我很轻松,不像现在的中学生那样,做功课要赶到半夜,疲于奔命。

东西长安街这条路,六年来是我走熟了的,尤其是天安门前那一段,可以说非常美,非常诗意,从中山公园到太庙门口,金水桥前,一大片绿荫,都是一株银杏,一株夜合欢,相间而植。银杏都是数百年的老树了,树干高,树冠大,叶子像一把把小绿扇子,迎风摇曳着;夜合欢叶子像羽毛,开花时是一簇簇粉红色的穗子,柔媚而娇美,与旁边高大的银杏树相衬,真是刚柔相济,相得益彰。这片树林甚至沿着马路的北边穿过三座门直伸到霞公府。过了王府井南口到东单又是一片另外的小树林,树种虽不再是银杏和夜合欢,但仍是绿荫匝地。每逢走到这里,我往往放慢了脚步,那些参天的大树像是我的保护伞,保护我免受车辆的冲撞。所以,有很多美丽的诗、词、古文,也包括别的理科公式、定理,我都是在这里背诵的。每逢秋季,银杏叶变黄,落满地面,像一把把小金扇子,我常常找周正的拣起来,回家用毛笔题一些诗词断句,作书签用,或送给同学。解放后,由于拓宽马路,天安门前这些树早被砍伐了,但它们美丽诗意的身影,至今我仍常常带着感谢的心情回忆起它们。

在记忆和背诵方面,我想过一些办法,也积累过一些经验,我觉得凡是理解了的东西就更容易记住,但有些内容不能靠理解,而只能死背的,我自己就想一些让它好背的办法。这里我举两个例子,例如两汉帝王的顺序,我就在老师的指点下把它编成七个字一句,而且押韵,类似顺口溜的东西:"高惠文景武昭宣,元成哀平孺子纂,汉光明章和殇安,顺冲质帝桓灵献。"为了方便,中间略掉了西汉的吕后和东汉只有一年的汉少帝刘辩,只需记住这两个人在谁之前,谁之后就行了。这样,比一帝一帝地背帝号要容易得多。再例如对古文唐宋八大家,我也是用类似的办法,不是一个人一个人地背名字,而是把它浓缩成一句话"韩柳欧三苏曾王",考试时再把名字添上去就成了。总之,我自己在学习上想了很多办法,大体与此相类。我感到一个人对一件事,只要心向往之了,用我母亲的话说,就是"有了钻头觅缝的精神",总会想方设法达到目的的。

　　随着年级的增长,我背的东西也多起来。不但文科的课程我都背,就是理科的功课,我也多采背的办法。化学的分子量、分子式,物理的公式,这都不用说了。就是数学的例题和习题,我也喜欢背下来。到考试时,我几乎不用怎么思考就答完了。当然那时的考试,也不像现在这样,老师喜欢出些偏题和怪题考学生。当时,无论什么课,老师也只是出五到十个大题,实行百分制。所以,我这种学习方法到了后来,背诵量也越来越大。学三角时,我甚至连对数表也背。当然这也和我家穷有关。因为那时不少同学,都去买专门的对数表用。我却不行,只能把书后附的那几页背下来。不过,我也发现,我的记忆力,因为背的东西多,记忆能力也有很大的提高。而且后来,就是上学的路上,尽管我要赶路,可是我还是把头一天背过的东西,在这时拿来再复习一下。有时我边走边背,这种背诵像是给我匆匆脚步的一种音乐伴奏,使我不知不觉中,走过东单、走过三座门、走过东西长安街、走过天安门、走过西单,轻松快乐地走到我的学校。虽然背数学题不是个值得提倡的方法,但确实能锻炼并提高记忆能力,当我背完了数、理、化,再背国文、史、地时,就像走完了山路再走平地一样了。

尽管我平时坚持做到了"当天的饭当天吃完",但是在大考前还是要做一次总复习。当时我家住的是大杂院,无法找个安静的地方,家里又只住一间房,加之母亲还要听收音机。她最喜欢听三种评书,连阔如的"东汉",王杰魁的"包公案",赵英坡的"聊斋",每次播放必听,我当然不敢拦阻她。现在的独生子女在家里都是小太阳小公主,可以说一不二的,大人都围着他们转,我那时候不行。虽然我也是独生女,但受的是传统教育,小孩绝不能干涉大人做什么或别做什么。为了温课我必须躲出去,那时中南海还是个普通的公园,并不是政要的禁脔,和其他公众场所没什么两样,只要买了门票就可以进去。那时的门票和现在比,可说出奇的便宜。中南海里的流水音和万字廊非常清静,我常到那里去温书。带点干粮和一瓶水充当午饭,早晨进去到下午才回家。中南海之外,太庙也是我常去的地方,这里是皇家祭祖之处,有很多松林,没有多少游人,也是温课的好地方。太庙解放后叫劳动人民文化宫了,就在天安门之东,与中山公园相对称的地方。这两处公园是我温课常去的地方,我至今常用留恋的心情回忆起它们。

当然,我学的所有课程中,也有我学得不好的,这就是体育课。那时我在全班同学中,个子比较矮。一到分组打球,同学都不大喜欢要我,而且我大多时间都接不到球,反倒是球打我的时候多。体育老师又有个习惯,就是上了课一数人数分了组,她就走了,到下课时她才回来。所以,很多时候她走我也就走了,回到教室去做我的功课去,到快下课时再赶回操场。直到有一次考试打篮球,好容易一个球落到我的手里,我高兴极了,抱起球来就跑,别的同学都停下来看着我,我跑到篮下,一投竟中了。我心里得意得不得了。可是老师脸都红了,一吹哨子气哼哼地说:"不算!"到下课时,老师集合起全班同学站好队说:"孙亚英出列!告诉你,要不是看你别的功课好,体育课给你六十分是照顾你!入列!"下了课别的同学才告诉我,我连篮球规则也不懂。那叫"猴儿腔"(当时篮球的规则术语都用英文,"猴儿腔"就是HOLDING,持球走的意思),是犯规的。不过从那时以后,我总争取体育考试能达到七十分就行,免得太拉我的总分了。其他的非主课,如音乐、美术、劳作等课,我努力点儿还是能得到九十多分,唯独体育,确是怎么努力也不行的。

　　由于家贫,还有一些事是我不能和同学比的。记得在初中时,同学们在课余时间,大谈她们读的有趣的课外书,如福尔摩斯、亚森罗频、人猿泰山,还有《飘》等。听她们谈得津津有味,热火朝天,我心里也很馋,也很想借来看。可是我知道这些书都是大部头,要读须费很多时间,我不得不努力控制住自己,想想母亲的话,我必须把自己的精力,专注在课本上。母亲已把我逼上梁山了,为了争取能上学,我必须争分,连小数点后面的分也要争,因为与名次有关啊!所以我不能看大部头的闲书。应该说,这样的自制力,对一个十几岁的孩子来说,还是不容易的。还有一件事,就是女附中都是走读生,没有住校的,家住得远的同学,都带一顿中午饭,家境好的同学,多带一些好吃的。中午,教室里常弥漫着一种饭菜的香味。我当时十几岁,正是长身体又胃口好的时候,同学们饭盒里的香味,十分影响我,而我带的常常是小米面丝糕或玉米面窝头,再加一块大盐萝卜咸菜。为了避开香味的诱惑,我常常躲出去吃。有时夏天天最热的时候,我带的干粮都捂馊了,一掰开会拉丝,但为了支持到放学,还要走回家,也必须凑和着吃。这些事,有时让我心里也有点难过,不过,一想到以我那个家庭,能取得读书的资格,自己也能争取到好成绩,也就心平气和,无可抱怨了。

中学的六年,我大致就是这样过来的,其中有苦也有乐,就因为这样紧紧抓住一个目标,苦挣苦掖,一直名列前茅,以致初中升高中、高中入大学,我获得了两次免考保送的资格,这不能不说是人生的一乐。

三、不到园林怎知春色如许

如果说我开始入中学时,奋发读书的动力还仅仅是母亲的一句话——"女人必须端自己的饭碗",到了初中二年级的时候,情况就有变化了。有一门功课,以它独有的魅力,像磁石一般地吸引了我。那就是国文课,后来被称作语文的。

初一初二的国文课本上,还没有多少文言文,据我记得的有《荔枝图序》《李龙眠画罗汉记》《项脊轩志》《病梅馆记》《范县署中寄弟墨书》等,我只感到它文笔的简练。这些文章还没有从文采上多么吸引我。当时有些白话文倒触动了我的心弦,使我感到了一种文学意境的美,如冰心的《寄小读者》,朱自清的《背影》《荷塘月色》,还有俞平伯和朱自清两个人的同名文章《桨声灯影里的秦淮河》。这些文章有的让我感受到了一种人情心灵上的美,有的让我感受到了一种自然景色的美,有的甚至情景交融,使我反复玩味,似乎从中得到了一种享受。在我的生活里,好像开启了一个宝盒一样,给我增添了快乐,又像小孩初尝到了美食,促使我贪馋地寻觅。

正好在这个时候,我认识了一位朋友,是与我对门而居的邻居。她叫朱景晖,是私立慕真女中的学生,班级比我高,恰好也是国文课的爱好者。于是我们课余之暇往来就多了起来。她家境比我好,住独门独院,家里藏书也多。在假日里,我常从她家里借书来读,或爽快到她家去看书。这一时期除了读到更多的冰心的作品外,还发现了两位另外的女作家,就是庐隐和石评梅,我读了她们的《寄海滨故人》和《象牙戒指》。这些作品似乎给我推开了另一扇门,作品中所涵蕴的乡愁,和人与人之间柔婉细腻的感情,让我领略了另一种不同的人生况味。这些对我都很新鲜,像芳香开窍的东西一样,开启我的心智。这时我开始作读书摘录了,凡遇到我喜欢的篇章段落,就用一个本子抄下来,经常看看,像属于我的一个藏心爱玩具的角落,里面锁着我的快乐和享受。

现在,我当年那些手抄本当然早已不在了,时间已过了六十多年,我又因工作调动,辗转了几个省,很多东西都丢失了。但冰心的一首小诗,因为当时读时印象太深刻了,至今还在我记忆中。她说:

躲开相思,
披起衣儿,
走出灯明人静的屋子。
枯枝在雪地上,
又纵横地写满了相思。

这首诗我曾仔细玩味,觉得它与我抄过的李清照的"才下眉头,又上心头"有异曲同工之妙。二者都简练而准确地表达了一种感受,就是人的某种感情是逃避不开的。我在阅读中这样反复玩味、琢磨,渐渐地,别人的表达抒发的方法,不知不觉中,居然也能移用到我的笔下了。

当一个人在知识和性格成长的过程中,能遇到良师益友是非常重要的。除了朱景晖之外,这两年中我还遇到了一位好老师,那就是初一初二教我国文课的黄先生(先生名淑环)。按照当时的习惯,不论男女老师,一律称先生。黄先生是个不到三十岁的老师,和蔼可亲,讲课总是轻言细语,并不严厉,比我们只大十几岁,与其说是师长,不如说更像大姐姐。当时她还没成家,就住在学校后院的宿舍里,所以有时同学们也到她屋里去玩。有一次在闲谈中,我跟她谈到了一件事,引起了她的注意。我告诉她,小学四年级练小字时,用的帖是《长恨歌》,开始写时我注意力全在字上,没注意内容,后来日子久了,无意中发现,好像七个字是一句,还押韵的。再逐日练下去,才朦朦胧胧地懂得,内容似乎是写一个美丽动人的生离死别的故事。当时只是生吞活剥,囫囵吞枣,谈不上理解。黄先生听了,说:"你的感觉是对的,那是一首著名的唐诗,作者是白居易,在中国古代的长篇叙事诗里,也是有名的。你从小受到了它的薰陶,很好。"接着她就把全诗逐字逐句给我讲了,讲得很细,不但讲了全篇的意思,还讲了诗的意境,甚至给我讲了诗中的对仗,如"行宫见月伤心色,夜雨闻铃断肠声""春风桃李花开日,秋雨梧桐叶落时""梨园子弟白发新,椒房阿监青娥老""迟迟钟鼓初长夜,耿耿星河欲曙天"等等。自从我完全懂了之后,就把这首诗熟背了。可以说中国古典文学中,给我的启蒙之作,就是白居易的《长恨歌》。

还有一件事,使我和黄先生师生之间,更加深了一层了解和印象。有一次作文课,黄先生出了个"春寒"的题目,班上大多数同学都是从自然景物上取材的,唯独我另辟蹊径,以春寒作比喻,选取了较特别的内容。我写了一个女孩子,和继母无论如何处不好关系,继母生了一个小男孩,她和弟弟在家里的处境,相距悬殊,远不能比,使她经常伤心地偷看亡母的照片。在幻觉中亡母似乎对她说:"孩子!妈永远爱你。"我在篇后的结语是:"应该温暖的春天而不暖,应该慈爱的母亲而无爱,这是什么道理呢?"算是点题。这篇作文似乎对黄先生是一个震动,有点出乎她的意外。她在发作文时,向全班同学读了我这篇作文,讲解了该如何审题,如何从文学的角度窄题宽作等等。其实这篇文章的内容,并不是我自己的生活,而是我女友朱景晖的。她母亲是继母,她并没有对我诉说过什么,我常到她家去,观察到了一些事,因而在我心里有感觉、有印象,于是遇到"春寒"这个题目时,很自然地就产生了联想。这件事也使我悟到,要让笔底下能写得好,随时随地要注意观察和思考,平时积累素材,非常重要。通过这件事之后,黄先生更喜欢在课外多教我些东西了。

  黄先生有一次主动要教我唱《牡丹亭》中"惊梦"一折中的两段,我才知道黄先生会唱昆曲。她教我的两段是"步步娇"和"皂罗袍"。我至今还依稀记得这两段的唱词是:"袅晴丝吹来闲庭院,摇漾春如线,停半晌,整花钿。没揣菱花,偷人半面,迤逗的彩云偏。步香闺怎便把全身现!""原来姹紫嫣红开遍,似这般都付与断井颓垣。良辰美景奈何天,赏心乐事谁家院!朝飞暮卷,云霞翠轩;雨丝风片,烟波画船,锦屏人忒看的这韶光贱!"黄先生在教我这两段唱词的同时,也教了我中国古乐用的工尺谱,可惜我都没有记牢,至今只记得有"上、工、尺、四"等字。

  黄先生既有兴致教我唱,我自然会要求她给我讲。于是她给我讲解了这两段,同时也给我讲解了《牡丹亭》的作者和全剧的故事。以后我自己读了汤显祖的《牡丹亭》,和黄先生借给我的洪升的《长生殿》。自然,初二的我,还只能是生吞活剥,但我能感到作品像诗一样美。《长生殿》比《长恨歌》告诉了我更多的故事,如雷海清骂贼等情节。这两个剧本像磁石一样吸引了我。黄先生在诗之外,又为我打开了一片园林。

  自此以后,凡是我能找到的诗词都抄来读,课本上的东西,已经不能满足我了。当时买书是较贵的,我家决没有这种经济力量,即使旧书,相对也比本子贵得多,所以迫使我只能抄来读。这一期间我抄读了不少古典文学作品。开始抄时,还只是误打误撞地碰到什么抄什么,有一次在卖旧书处遇到一本陈冠同先生写的《中国文学史》,不全,只有上册没有下册,但我还是如获至宝,合计半天,咬咬牙把它买了下来。发现里面按着朝代顺序,把时代背景、代表作家、代表作品,一一都介绍了。我觉得这本书能让我找到路径,找到"门牌"了。我可以按它的指引到图书馆有目的地借书来读了,因而,可抄的东西也更多了。

抄东西读,意外地得到了一个副产品,那就是我的字无意间练好了。我自己并没觉察这一点,有一次黄先生问我:"你最近练字了吗?你的字怎么比一般同学好了?"于是我把抄东西读的事告诉了先生,先生把我抄的东西拿去看了,发现杂七夹八什么都有,既有历代的诗词,也有散曲小令,甚至有《聊斋》的片段。她似乎很吃惊,也受到了震动,一个初中二年级的小孩子,对中国古典文学居然如此喜爱,如此入迷,还没有找到系统阅读的路径,凡能遇到的东西都抄下来,她很意外。几天之后她对我说:"我把你介绍给高中的国文老师马先生好不好?马先生在中国古典文学上有很深的根柢,能教你更多的东西。"我当时真是又惊又喜,这是我从来没敢想望过的事。马先生在女附中,是大家公认的好国文老师,也是全校出名的最严厉的老师,所以我又高兴又害怕,唯恐马先生不肯教我。在此之前,我曾听班上一位姓阮的同学说过,她家里给她请了家馆,专门教她古文,那束脩可是不菲的,我家里绝对出不起这笔费用,若得马先生教我,我当然是求之不得了。

我在忐忑中等待了几天,也不知黄先生和马先生是如何说的。有一天,马先生请黄先生把我带到她家里去了。马先生问了问我的家庭情况,又问我自己抄过哪些东西读,还让我背了几首诗给她听,提了几个问题,试试我懂到什么程度。这些,我都战兢自持，一一作答。最后马先生说："这样吧！只要你肯认真学，我一定教你。以后，在不影响你课内作业的前提下，星期日和寒暑假，你可以到我家里来。我再说一遍，我教你，只有一个条件，就是你必须认真学，如果我发现你学得不好，我可就不教了。"我深深地记住了马先生这句话。以后，在马先生课外教我的近五年当中，我对自己不敢有一点放松，唯恐失去这个宝贵的学习机会。

从此以后，一直到我高中毕业，马先生在课外，按照中国文学史的顺序，给我讲了很多教科书上没有选入的篇章，到高一、高二时，马先生在课内也教我了。应该说，我从马先生处学到的东西，课外的比课内的更多。在以后的部分里，我会作更详细的叙述。

总之，在初中二年级时，我对学科的爱好已经偏了。一边自己在寻觅，一边在老师的指导下，逐步推开一扇一扇古典文学园林的大门，发现每座园林都各有洞天，独具风格，各有各的花柳扶疏，各有各的曲径通幽，瑰丽灿烂，取撷不尽，仔细研读，够我终此一生投入了。此时我似乎懂了王国维所说的第一境界："昨夜西风凋碧树，独上高楼，望尽天涯路。"在学业上，由于爱好的吸引，我已经开始有所追寻了。这个动力比母亲原来那句话的动力要大得多了。

四、爱国篇

我小学三年级到高中一年级这段时间，正值一九三七年到一九四五年，中国抗日战争的八年中。七七事变后不久，北京就被敌人占领了，成为敌占区，也叫沦陷区。

在小学时我不大懂事,常听母亲说"亡国奴",我还不明白个中滋味。到了中学,我渐渐知道了敌人占领了我的家乡是怎么回事,有些具体的事也让我产生苦恼了。

例如每星期一早晨,学校都有一个"朝会",就是全体同学聚在大礼堂,听校长或老师训话。每逢朝会,大礼堂的正中,总挂着日本国旗,被我们称作膏药旗的。开会之前要唱日本国歌。这些都让我们感受到压抑和屈辱。最不可忍受的是唱完像出丧曲一样的日本国歌之后,还有几分钟的默祷,内容是强制我们祈祷日本皇军的胜利,和日本天皇的健康。这几乎像让我们向敌人跪拜一样,心里万分地不情愿。可是礼堂里日本老师也在,为了不给学校惹祸,我们不敢有任何表示。有许多同学常常含着委曲的泪水出礼堂。有一次,一位中国老师实在看不过了,找机会偷偷对我们说:"不是让你默祷吗?默祷是不出声音的,谁知道你们在祷念什么……"这句话点醒了我们,从此以后,每逢默祷,我们就祈求中国军队胜利,祈求早日夺回失地,祈求中国人不再俯首做人,早日扬眉吐气。

具体日期我现在已经记不清了,当武汉被日本军占领了的时候,敌人迫使我们排好队,到东单广场去开庆祝会。天上飘着很多个大气球,气球下面挂着一串字:"庆祝武汉陷落!""庆祝日本皇军的胜利!"这叫什么事?!强占了中国的国土,还让中国人去庆祝!我们这些平日文文静静的女学生,都恨不得用弹弓把气球打下来,可那会产生什么后果?谁又敢那样做呢?以后,凡有地方被攻占了,必逼我们去庆祝,大家真是忍气吞声,敢怒而不敢言。

当时我们师大女附中的师生们,在力所能及的范围内,对日本侵略者,还是有过一些反抗行动的。有些老师给了我们很好的影响,不动声色地向我们灌输爱国主义。譬如几位教音乐的老师,不在课堂上,在底下偷偷教我们唱抗日歌曲。不敢印歌片,只能口传心授,她教一句,我们唱一句,如《松花江上》《保卫黄河》等等。给我印象最深的是一首叫做《流亡三部曲》中的第二部,唱起来真让人热血沸腾,我至今还记得它的全部歌词:"泣别了白山黑水,走遍了黄河长江,流浪,逃亡,逃亡,流浪。流浪到哪年?逃亡到何方?我们的祖国已整个在动荡,我们已无处流浪,已无处逃亡。哪里是我们的家乡?哪里有我们的爹娘?百万荣华一刻化为灰烬,无限欢笑转眼变成凄凉,哪还有个人幸福?哪还有自己安康?谁让我们流浪?谁让我们逃亡?谁让我们国度沦丧?谁让我们民族灭亡?来来来!来来来!我们休顾自己幸福,我们休顾个人逃亡,我们应当团结一致,跑上战场,誓死抵抗,打倒日本帝国主义,争取中华民族的解放!"这首歌是我们当时最爱唱的,几个同学聚在一起,唱了一遍又一遍,但从来不敢高声。尽管如此,祖国在我们心里是神圣的,对侵略者我们有无比的仇恨,爱国主义在我们心里日渐生根发芽。

国文老师也用文学作品向我们暗示,讲完正课之后,给我们讲陆游的诗:"遗民泪尽胡尘里,南望王师又一年。""王师北定中原日,家祭无忘告乃翁。"连素称颓废的李后主词,都成了激励我们的作品:"故国不堪回首月明中。"老师只讲解原作本身,不讲题外多余的话,可是同学们都听出了弦外之音,明白老师是什么意思了。甚至连辛稼轩的"醉里挑灯看剑,梦回吹角连营,八百里分麾下炙,五十弦翻塞外声,沙场秋点兵"都使我们产生向往和憧憬。老师和同学们的心里,不约而同地都藏着四个字:"抗日救国"。

在那黑暗的苦难的岁月里,广大的北京市民都在隐忍着,受着煎熬,等待着,盼望着。

在和平的岁月里,中学的外文课只有英文一门,可是在抗战的八年中,国立和市立中学的外文,却变成了两门,日文和英文。日文所占的课时还比英文多。初中时,教我们日文的老师是一位中国的女老师,名叫刘孝懿。当时在同学中有一种普遍的心理状态,大家对日文这门课,都很反感,像牛不喝水强按头一样,都不愿意学,都不用功,仿佛谁在日文上用功,谁就成了汉奸一样。那时大家还不懂得学好一门外文,将来是一种工具,对日文这门课像对日本侵略者一样恨。刘老师似乎很能理解我们这种心理状态,上课时她只管讲,同学偷偷在底下看别的书,她也不管,考试也不十分严格,只要说得过去就行。因此,我们对刘老师从来都不当面恶作剧,只是背后戏呼她为"刘小姨"。

后来,换了一个日本男老师,叫篠原利逸。矮矮的个子,戴着一副黑边圆眼镜,鼻下留着一小撮日本胡,脚步声很重,一副武士道的架势。他不太懂中国话,但对我们很严厉,可以说彼此都存在着敌意,有时他故意折腾我们,我们也有意和他对抗。例如上课时,他要我们起立,齐声说:"篠原先生早安!"然后一个九十度的鞠躬礼。全班将近五十位同学,只要有一位同学鞠躬不足九十度,全体都要重来。所以每次上课光行礼这一件事,往往就要折腾一刻多钟,同学们都憋了一肚子气,于是就想法收拾他。"篠原先生早安"这句话的日文说法,用中国话音来表达就是:"希诺哈拉森赛,喔哈哟呜!"我们就利用他不懂中国话之便,大家齐声说时,故意说成"唏哩哗啦孙子,唉哟!"("孙子"是当时北京最普遍的骂人话)他当然听不懂我们说的是什么意思,可是他听得出来味道不对,愣了一阵,叫我们一个一个地说,当我们每个人单独说时,他听着又都是对的。全班都说完了,大家再一起说时,又成了不对味的。折腾了半天,他找不出毛病在哪里,只好作罢。这可以说是我们的一次胜利。下课之后,我们把这事讲给中国老师听,中国老师也大笑不已,但也为我们担心,叮咛我们说:"你们要小心,他们日本人可讲究打学生的。"

又有一次,我们真的全班挨了打。有一段时间,篠原上课喜欢穿一身白西服。我们发现他有一个习惯动作,就是把手撑住讲桌两边,身子往讲桌上一靠,"哇咧哇咧哇",然后把背往黑板边上一靠,又是"哇咧哇咧哇",自顾自地讲起来。我们抓住了他这个特点,就商量好办法。派一个同学到教室门口看着,只要他拐到往教室来的这条路上,就发出信号,另一个同学马上从墨盒里把带墨的丝棉拿出来,迅速地往讲桌边上抹一下,往黑板边上抹一下,然后规规矩矩坐在座位上等。上课之后,果然,他的两个习惯动作来了,结果自然是雪白的西服上,前边一道黑,后边一道黑。我们原希望他下课之后再发现,不幸的是他在课堂上就发现了。这下他怒不可遏了,用半中半日的话狂吼起来:"什么人的干活?说!不说,打板子,通通地!"我们知道他要打通堂了,还是坐在座位上不动。他把一块一尺多长,大约二寸宽的板子摆在讲桌上,怒目环视着全班,似乎在等待有人怕挨打而说出来。可是教室里鸦雀无声,同学们面无表情地看着他,就这样,大约对视了有五分钟。最后他耐不住了,叫同学们一个挨一个到讲台前去领责。他大概没有想到,这样的一群小女生,竟会那样从容,一个一个走到讲台前,把左手举得平平的,把头转到另一边,每人两下。任凭他打得多重,没有一个人叫,也没有一个人哭,更不用说会有人说出什么。打完了,同学们还是静静的,他没有别的办法,只有气鼓鼓地下课了。全班同学手都肿了,可是我们心里很解恨,这不能不说是我们的一个小小胜利,我们班没有人服软,没有人出卖同学,看吧!这就是中国人的骨气!中国人是不可战胜的。

后来,篠原似乎把这件事告到校长那儿去了,训育科的老师到我们班谈过一次话,并没有追究和责罚的意思,大致是说:同学的心情可以理解,以后要注意些,不要太出格了,免得给学校惹麻烦。北平到底被日本人统治着。没过多久,换了一位日本女老师,她对我们比较客气,同学们也和她相安无事。

有一次,我步行去上学,走到西长安街中段,南长街口的地方。这里是个十字路口,往北拐是南长街,往南拐是一路电车往前门去的方向。就在这十字路口,有一辆日本军用卡车从东向西开去。日本军用卡车的车头很短,北京人都习惯地叫它"没鼻子卡车",为了防滑,车轮上还绞着铁链子。车开得很快,我听到路人一阵惊恐的喊声,才发现一个中国人被轧死了。汽车却连停都没有停,照直向西开去,我分明看见车轮的铁链子里绞着人的血肉,血迹印在马路上,渐远渐淡。我第一次看到这种血肉模糊的景象,一下子呕吐起来。以后的路,我不知是怎样走到学校的,在这一整天里,这幅悲惨的场景,无论如何都无法从我心中抹掉,在我幼小的心灵里,沉重而又疼痛地感到了三个字:"亡国奴"!在日本车轮底下,中国人的命只像一只蚂蚁!

放学回家之后,我把这件事告诉了母亲。母亲脸色都变了,愣了半天,只对我说了一句话:"以后你走在路上,可千万小心,妈只有你一个孩子。"

从此以后,每逢我早晨上学之前,母亲总不忘叮咛一句话:"亚英,路上小心!"即使冬天,我出门时母亲还没起床,她仍不忘叮咛这句话,总从我背后追来一声:"亚英,路上小心!"可见母亲是怎样肚挂肠牵。以至若干年之后,在"文化大革命"中,我被逼着去游行,被逼着上批斗会,甚至被逼得向死神走去,耳边似乎还常响起母亲这句话:"亚英,路上小心!"

就在日本军国主义大肆侵略中国,残酷屠杀中国人民的时候,却并不妨碍两国的老百姓成为真正的朋友。就在抗日战争期间,居然有一个日本小姑娘,和我成了朋友。

每天我上学从东单向西单走,常常遇到一个和我年纪相仿的日本女学生,也从东向西走,我们彼此都注意到了对方,但从来不搭话。我看到她从东单的北面走来,猜想她家大约住在东四,或更北面的北新桥一带。我还注意到她不一直走到西单,而是从南长街往北拐,我估计那里一定有一所日本女中,而且一定比女一中远,因为我考女一中时,并没看见有日本中学。(后来知道在丁字街,是当时全市唯一的一所日本女中。)

后来,渐渐同路久了,就彼此点头微笑一下,算是招呼了。她穿着白制服,肩上有一块像海军一样的蓝披肩,留着日本女学生常见的"妹妹头"。当时中国女生习惯叫它"童花式"的。仔细端详她，还长得挺秀气。再后来，同路有半年多了，我们渐渐打招呼了，见面她用日文说一句："早上好！"我也礼貌地回她一句："早上好！"到南长街口分手时，她说一句"再见"，我也同样回她一句。她会一点中国话，我也能说一点日语，我们就常常这样半中半日地交谈着，有时急了，还夹进一两个英文单词来，因此我知道她们也学英文。后来我们互相通了姓名，她告诉我她叫春名美津子。开始，我不知她心里是怎么样的，我对她却是有戒心的，从来不跟她谈中日打仗的问题。到我高中一年级时，我们相识有三年左右了，几乎可以说是熟朋友了。有一次我试探着问她："北平好吗？"她似乎感觉到了什么，沉默了一阵说："东京，我的家乡，当然家乡好，政府让我们迁出来，我们必须服从。"后来我们的交谈日益加深，她向我透露过："我和父母都不赞成打仗，我们是日本国民，天皇的命令，必须听从。"这些，要算我们谈心谈得最深的话了。

美津子曾邀我到她家去玩，告诉母亲后，我去了。原来她家就住在东单北面一点的米市大街，并不像我猜想的那么远，家里只有父母和她三个人。父亲是做绢人的手工业者。这种绢人，日本人叫"人形"，是日本家庭中很常见的一种摆设，看来他们就是以此为生的。家里并不大，前面是两间铺面房，后边是住的地方。她父母待人很客气，不大干预女儿和朋友谈什么，父亲仍忙他的手工活，母亲常常给我和美津子做一种点心吃，用江米揉成指甲大的小丸子，煮熟后在汤里加点糖，用托盘端给美津子和我各一碗。我道谢后就吃掉。我母亲也有时做些中国的小吃送给他们，他们很讲礼貌，总说"好吃，好吃"，且称谢不已。日本人的礼貌有时让人很吃惊,尽管我是他家女儿的客人,但是每当我告辞时,他们一家三口总是送到门口,深深鞠躬说"再见"。所以到美津子家去作客,我没有压抑感。

一九四五年的夏末,我们正放暑假。有一天学校忽然通知,第二天都到学校去,我们也不知道有什么事。第二天早上,我在书包里简单带了点文具就赶往学校,进了校门之后,就感到气氛不同于往日,老师们在快步走来走去忙着什么,好像在憋着一股强烈的喜气。同学们看着神情凝重的老师,心里有些茫然。过了一会儿,老师要我们都到大礼堂去,一进礼堂,我们都愣住了,眼睛都睁得大大的,礼堂正中挂的不再是日本的膏药旗,竟出现了青天白日满地红的旗帜,而且中间还挂着孙中山先生像!我们面面相视,简直不敢相信,是不是日本真的战败了?我们是不是在做梦?大家都被一种将要被证实的巨大欢喜冲激着。有人脸上已经挂着泪水了。这完全是可以理解的,八年了,我们没看到过中国自己的国旗,多么亲切的中国国旗!再也不挂那个屈辱的太阳旗了!我们怎能不喜极而泣呢?正式开会了,校长石砳磊先生郑重宣布:日本军队无条件投降了,中国人民的八年抗战终于取得了胜利。这句话刚出口,礼堂里一片欢呼声,同学们都互相拥抱了起来,脸上是挂着泪的笑容。一会儿,音乐老师在钢琴上奏起了中国国歌,我们齐声唱起了:"三民主义,吾党所宗,以建民国,以进大同……"当时我们还没有国共两党的概念,心里只有一个极为简单的想法,这是我们中国人自己的国歌,八年都没敢大声公然唱的中国国歌,今天,我们能在大礼堂里尽情地唱了。大家都高声地唱着,声音是从胸腔里发出来的,唱得感情充沛,唱得慷慨激昂,唱得扬眉吐气,同时眼泪却是无论如何都擦不干了。

当校长、老师、同学代表到台上相继发表热烈的庆祝讲话时,我忽然感到背后有人拉我的衣襟。我回头一看,当我和这位同学四目相对时,谁也没说话,可马上明白了要干什么事。我们大约有七八个同学,一齐从礼堂的后门跑出去,向后院的教师宿舍狂奔,我们要去找篠原,去跟他算这八年来的账!要清算八年来他向我们的作威作福。跑到他的屋门口,门是虚掩着的,我们推门进去,立刻大失所望了。原来,早已是人去屋空,只有一个打碎了的热水瓶在地下躺着。

这天散会之后,我是破例乘电车到东单的,因为我要快一点赶回去。在东单下车之后,加快脚步往米市大街跑,我必须去看看春名美津子。我不恨她,在我心里她不能算敌人,因为她跟我说过,她也热爱家乡,不愿意打仗,希望和平。在这一点上,我们的心是相通的。在这种时候,我必须去看看她,给她几句安慰或道别的话,我们毕竟作了几年的朋友。她的父母也善意地招待过我。当我喘吁吁地跑到她屋前时,见屋内已经空了,只有摆绢人的几个柜子还立在屋里,我心里一阵黯然。从那以后到现在,已经六十年了,再没见过春名美津子,也没有任何消息。但我记着我们之间有过一段天真无邪的美好友谊。如果她还活着,该也是七十五岁以上,接近八十的老妪了,祝愿她子孙绕膝,福寿康宁。

日本军国主义残暴地侵略中国,是不能忘记的,日本人民对我们的真诚友谊,也是不能忘记的。

五、师恩如海

自从黄先生把我介绍给马先生之后，星期天或寒暑假我就常到马先生家去了。(先生名桂馨，字芳吾。在学校中，先生从来用字而不用名。名，我是从先生写师祖父的一篇悼文中看到的。马先生的母亲喊她，也总是喊字的。)马先生家住在离女附中校址不远的千章胡同。一个不太大的院落，整洁，清静。北房三间，中间堂屋是客厅，东西套间是马先生和先生的母亲分别居住，东房两间是马先生的书房，先生给我讲课就在这里。西房两间，一间是厨房，一间是女佣的居室。女佣姓李，和马先生年龄差不多，马先生称她"李姐"。每次我去，都是先到北屋，见过马先生的母亲，行礼之后，再到东屋，听马先生讲书。

马先生从初中二年级下半年开始教我，课程的内容是按照中国文学史的顺序。本来高中三年的国文教科书也是按照中国文学史的顺序编的，马先生从初二带我，时间比三年更从容了。马先生在课堂上教高一、高二两班，当然熟悉教科书里有什么内容，于是有意选教科书上没有的内容教我，因此我在课外学的内容比课内的要多得多。马先生给我讲的第一课是《诗经》。先给我讲了什么是《诗经》的"六义"，然后选了些具体篇目，大多是十五国风里面的，也有几篇是小雅。当时我的感受是《诗经》的文字比较古朴，诗作者也很敢讲出自己的心里话，而且当时建立的"采诗官"制度也很好。

第一次使我产生奇异感受和深刻印象的是马先生讲的《楚辞》。她选讲的第一篇就是屈原最主要的代表作《离骚》。马先生无论是单独给我讲，或是在课堂上，讲解都非常细致，总是把句子中需要提出专门讲解的字先讲了,然后再串起一整句来,讲明这句话是什么意思。而且马先生语言明快,用词准确,让听的人能懂得十分透彻。句中如有典故,则另行讲明出处和含意。《离骚》很长,是分几次讲完的,通篇读完之后,我知道了这篇长诗是屈原自述生平之作,其中既有叙事的部分,也有抒情和言志的部分。文笔不同于《诗经》那样平实,而是有很多比喻,现实叙述与幻想驰骋互相交织辉映,而全篇又以爱国忧国为其贯穿始终的核心。每句后面作为楚语所特有的"兮"字,让我感到十分新鲜。这也是《楚辞》所特有的一种风格吧。后来读多了才知道,兮字有时在句末,有时在句中。在读《离骚》之前,我虽然已经读过一些叙事的长诗了,但都没有《离骚》这样的震撼力,也不如《离骚》的古老和绮丽。加之马先生的讲解也生动感人,她全神贯注地讲,我聚精会神地听,听完讲解之后,使我感到屈原的《离骚》真是震铄古今的鸿篇巨制,在他那个时代,可以说是空前的。反复诵读,神游其中,几乎是一种非常美好的艺术享受。对我来说,好像又找到了一片以前从未发现的新园林。

在《诗经》和《楚辞》之间,马先生还给我讲过些历史的和哲理的散文,也选讲过些《山海经》《淮南子》《穆天子传》等里面的神话故事。她告诉我"夸父追日""精卫填海""女娲补天"等都是人们经常引用的,应该知道。马先生在讲解中,经常向我提几个问题,看我是不是真懂了,但从来没要求我背诵过。屈原的《离骚》,也许因为太吸引我了,马先生讲完之后,我自己把它全篇都背了。在又一次马先生给我讲课之前,我主动提出来:"先生!我把《离骚》背给您听好吗?"马先生有点惊讶,问:"怎么?你都背了？"看我点了点头，她微笑着说："好！那就背给我听听吧！"于是我就带着兴奋和紧张的心情开始背，本来在家里背得很熟的，可是站在先生面前，竟慌乱得有几个地方卡了壳。先生并不责怪，提我一句，就又背下去，一直背到结尾"乱曰"的最后两句，"既莫足与为美政兮，吾将从彭咸之所居"。先生非常高兴地大声说；"很好！这么长的诗，我没想到你都背下来了。本来是应该背的，我是想这个作品，对于一个初中学生来说，未免太艰深了些，所以没要求你背，你自己主动背了，当然很好。这些都是古典文学中的经典之作，应该背的。"马先生是不轻易当面夸奖学生的，我明白，先生心里高兴了。从这次开始，以后凡是马先生讲了的东西，我就都背了，觉得这样做才能巩固学习效果。日子久了，我渐渐感到背诵也会加深理解。

也许因为我背了《离骚》，先生知道我如此喜欢《楚辞》，接下去竟把《九章》九篇，《九歌》十一篇，一连气都给我讲了。这下，我可大开了眼界。读屈原的这些作品，真让我眩晕地目迷五色。里面竟有那么多美人香草、薜荔女萝、兰芷杜若、辛夷桂旗等的比喻，有罗列纷陈的美丽动人的神话故事，里面写了人神之间的恋情，也有女嬃等美丽生动的艺术形象。这些诗作给我整体的印象是：波澜壮阔，气象万千，有些地方又婀娜多姿，低徊婉转，让读者透过屈原美丽的文笔，感受到了他缠绵悱恻的忧国心情，和坚毅执着的斗争意志。他那句"虽九死其犹未悔"的话，以极强的感染力，深印在千年之后众多读者的心里。

读完了屈原这些作品之后，久久让我回味无穷。我自己命题写了一篇作文《汨罗之波》，交给了马先生，大致内容是说我读了屈原作品的感受,汨罗之波里埋葬了一个忠魂,像屈原这样不惜以身殉国的爱国志士,同时又是骚体文学的伟大创始者,以其人格和光辉灿烂的作品,在中华民族中必然永存不朽。千古之下,人们还向水中抛粽子,以期鱼龙不要伤害他的尸体,南方还有赛龙舟的活动,也是纪念屈原的,可见屈原永远活在人们心里。马先生对我这样主动背、主动写,都非常高兴,从初二到高三,近五年的时间里,马先生一直乐于教我,大概与我这种毕恭毕敬、虔诚不懈、孜孜以求有关吧。

几年中,马先生一直沿着文学史的脉络往下讲。在中国文学史上,文、史、哲是不分的。例如《史记》《汉书》《资治通鉴》等,既是严谨的史实著作,也是优美传神的散文;再如诸子,里面既有政见、为人处世之道,也有寓言哲理,其中更不乏文词优美的篇章;当然,更为广阔的是美不胜收的文学园地。正如鲁迅先生给自己书斋取的名字,"三味",其中既有稻菽,也有蔬果,更有不可或缺的调味品。这些丰富的学术著作,使人的心理性格,吸取充分营养,从而得以健康成长。我觉得,从我十三四岁,到我长成一个少女这段时间,从马先生处学得的这些东西,像春风化雨一样,不断默默浸润陶冶着我的心灵,在不知不觉中,塑造着我的性格。正是这些宝贵的文学遗产,奠定了我一生的人生道路和道德取向。而这些已经铸就的内在内容,绝不是任何蛮横的外力强行"改造"所能改变的。

后来,和马先生渐渐处熟了,我慢慢地敢在先生面前讲出我的是非爱憎等看法了,从而加深了我们师生之间的了解,先生也纠正了我认识上的偏颇。有一次先生给我讲李朝威写的《柳毅》,

讲完之后我对先生说："马先生！这一篇里我最喜欢钱塘君这个人物的性格。"先生有点奇怪，问我："你为什么不喜欢柳毅而喜欢钱塘君呢？"我说："书生柳毅见义勇为，施恩不望报，又不畏强暴，能据理力争，使对方折服，当然很好，然而钱塘君嫉恶如仇，豪爽直率，知错认错，听了柳毅一番义正词严的话之后，马上避席而谢，这种毫不掩饰的性格，不也难能可贵，十分可爱吗？"马先生想了想说："不错，你说的也有道理，不过，看人要看他各个侧面，不能过份侧重他某一个侧面。你没注意到钱塘君惩罚小龙回来之后，洞庭君问他：'所杀几何？'曰：'六十万。''伤稼乎？'曰：'八百里。''无情郎安在哉？'曰：'食之矣。'你不觉得从这段对话中，看出钱塘君这个人物太残暴了吗？无怪天帝要把它锁在龙宫深处，上天有好生之德。"先生的最后一句话，像一锤重音，久久留在了我的心里。在以后的若干年，我一直铭记在心，应该爱护生民，敬畏生命，任何屠炭生灵的行为，都是罪愆，会使得人神共愤，应遭天谴的。

我不但从马先生讲课中学到很多道理，就是在生活细节中，我也学到了很多该学的东西。在马先生院里的南墙根，有一棵枣树，每到中秋节前后，枣子就成熟了，马先生往往让我和李姐手执竹竿打枣，她自己在地上拾。有一次，枣子结得很多，一会儿就拾了一大盆。马先生说："亚英！你尝几个，看甜不甜。"我说："不，老师先尝，您不是教我'有事弟子服其劳，有酒食先生馔'吗？"先生笑了笑，抱起一盆枣，边往北屋走，边高声说："我娘！我娘！您尝尝今年的枣，您不先尝，谁都不肯吃。"从马先生的行动中，我看到了应该怎样孝敬和尊重老人。其实在我开始到马先生家去的时候,母亲就叮嘱过我:"到老师家,要注意礼节,别让老师认为咱们穷人家的孩子,没有家教。"所以到马先生家,我一直谨言慎行,每次去都先到北屋给师祖母行过礼,才随马先生到东屋听讲。每逢李姐到东屋来拿东西,我总站起来。因为我觉得,李姐虽是女佣,但毕竟是老师家的人,且年龄与马先生相仿,严格讲也算我的长辈,按礼节我是理应如此的。每逢我站起来,少顷,马先生总是轻轻说:"你坐下。"从先生的微笑中我能察觉,她并不认为我这个举动是多余的。我从先生处,常能学到哪些该做,哪些不该做。

有时候,马先生在授课之余,给我的一些教诲,也影响了我此后的若干年,甚至大半生。例如,当先生对我谈到读译作时,她说:"我不赞成你太早地读大部头的翻译著作。首先,译笔好的很少,不要让那种欧化长句,影响了你自己的文笔;其次,就是像英国、法国这些出名著的国家,他们才有几百年历史?怎么能和我们五千年灿烂文化相比?咱们中国古典文学中,可学的东西太多了,你要趁着年轻,记忆力好,把国学打下扎扎实实的根底,你一生都会受益不浅。至于世界文学,你当然也该有所了解,但那些,以后再读也不迟。"我确实是按照马先生的话做的,许多世界名著,我都是到了大学国文系之后,学世界文学史时才读的。

另外一次,那时我大约已到高中了,闲谈中涉及我的事业前途,该走什么道路时,马先生很缓慢地、语重心长地对我说:"我认为,以你的素质,走学术道路,作一名学者,埋头研究点什么学问,对你是适宜的;不然就走教学道路,作一名好的教师,也好。总之,千万不要从政,甚至不要挨近政治,从中国历史上看,政治往往是不干净的。你不可能适应其中的弯转周折,还是老老实实作学问好。"这个话确实影响了我很多年。我大一大二的两年是临近解放的两年,同学中既有地下党员和党的外围组织,也有国民党员和三青团员,但这两种同学都不找我,我也不接触他们,下了课就钻图书馆。大学毕业被挑到中央党校语文教研室工作后,我每年的鉴定上都有一条缺点,曰"非政治倾向",但我始终没拿它当回事,再以后,也被批过"白专",但我仍固执地认为:党不是要我们"为人民服务"吗?为人民服务可要有真本事啊,我"专"有什么不好?专还要分什么白、红?一直到"文革"前,历次政治运动我都是旁观者,"文革"整到我头上了,我不问政治,政治问我了,我从此才开始思考一些问题。

初中三年级时,马先生发现我在读陈冠同著的文学史,就告诉我,最好找刘大杰著的《中国文学发展史》来读,不但材料翔实,文采也好。同时,还送了我一本谢无量著的《中国妇女文学史》。

我从马先生处除了学到学识、做人、如何选择事业前途之外,书法,也是马先生造就我的。当先生刚接纳我作学生时,从黄先生手里看到我抄来读的诗词,马先生就说:"你的字接近赵体,以后就练赵孟頫的字吧!"还叮咛我不要性急,不可把字练杂了,就专练赵孟頫一家,等有了一定功底,再取各家之长也不迟,万不可一开始就练成个四不像。马先生还送给我两本赵字帖,一本楷书、一本行书。初中我一直练楷书,到高一才开始练行书,我还记得行书帖的内容是欧阳修的《醉翁亭记》。练毛笔字这件事我毕业后若干年都没有停辍,1960年,下放到四川一个小县城后,因为字好看而小有名气。"文革"中的1968年,各个群众组织纷纷在打派仗,都拉我去给他们抄大字报,说:"你的字人家爱看,看的人多。"以致很多大字报尽管内容针锋相对,字迹却是同一个人的,贴满了那个小县城的城关四条街,这几乎成了那个小县城的一道独特风景线。

到了高一高二,我成了马先生课堂上正式的学生了。原先就听说过马先生非常严厉,真正听她的课了,才知果然如此,师姐们言之不虚。第一次上课,马先生就给我们立了几条规矩:第一,老师讲课时,同学们绝对不许在课堂上讲话。她又强调了一下,这是绝对不允许的,她以往教过的班历来如此;第二,不许在课堂上刮铅笔。当时我们听课作笔记,大多用铅笔,而且必须把笔削尖,只有这样才能把字写小。往往用一会儿铅笔就不尖了,必须用刀子把它刮尖。而这个动作是要出声音的,如果几个人同时刮,声音就不小,若相继刮,则此起彼伏,声音不断,马先生不允许这种声音扰乱她讲课;第三,作业和作文,必须按时交,没有特殊原因,不准带回家去作;第四,在课堂上,需要写字时,可以伏案,不写字只听讲时,必须把手放到背后去。马先生说,所以要这样做,因为高中同学身体正在发育,手放到背后,身体倚在椅背上,自然会昂首挺胸,不致弯腰驼背;另一个好处是,两手在背后,有助于专心听讲,不致去做别的动作。当时听了,虽然大家都笑起来,但是心里明白,这是必须做到的,不是说着玩的,我们从高班同学那里,早听说过了。

马先生立的规矩,绝大多数同学都遵守得很好。但一班有五十人左右,有人总免不了有大意的时候,偶遇有同学小声交头接耳,马先生也不严厉指责,而是停止讲课,注视着说话的同学。这样一来,大家都会回头看看那位同学,会把她弄得很窘。这样几次,同学们就都不敢说话了。

还有一次,班上发生了一件事,让我看到了马先生确实是"军令严明"。那天放学之后是我值日,我先把课堂内打扫干净了,然后去扫教室外的楼道。当这些都做完之后,我回教室拿书包准备回家时,忽然发现一位姓陈的同学,还坐在最后一排,伏案写着什么。我很奇怪地问她:"别人都走了,你为什么还不回去?"她抬起头来,只对我说了三个字:"马先生……"就哇地一声哭了起来,我没敢再往下问就急急忙忙回家了,因为我还有很长的路要走。第二天我问马先生:"昨天陈某某怎么了?"我把昨天的情况和马先生一说,马先生笑了说:"她没按时交作业,我让她不做完不许回家,我在教员休息室等着呢。"过了一会儿又补充了一句:"若是某某某、某某某不交也还罢了,她不交,那怎么成?"从这句话我明白了,马先生对自己比较喜欢的学生,是要求得更严格的。我暗暗警告自己,学习上一定要认真,兢兢业业,一丝不苟,不然,马先生会伤心的。

马先生在堂上讲课,也像个别教我时一样,字、句、段讲得十分清楚,然后讲全文中该注意的是哪些地方。马先生讲课有一种特殊的本领,任何一篇古文,经她一讲解,都有声有色,十分吸引人。听马先生的课,几乎不希望下课的钟声响,而希望多听一会儿。有时从布告栏里看到马先生请病假的条子,同学们会很失望,觉得今天缺了点什么。我想,有这个感觉的,班上绝不止我一个人。

马先生教我们读书一定要仔细、认真,不能只知其一不知其二,不能知其然,不知其所以然。我举两个例子来说明这一点。例如讲到李斯的《谏逐客书》,其中有几句是:"使天下之士,退而不敢西向,裹足不入秦"。马先生问我们:"大家说说,'裹足不入秦'是什么意思。"同学们都回答是把脚裹起来,不到秦国去。马先生说:"按字面看,是这样解释,但不尽然,同学们要知道,古代男子有一个习惯,在将要出门上路,待发之前,总要裹足,就像现在的兵士打绑腿一样,目的是便于走路。这里的意思是说,裹足待发而不入秦,这就比单纯不去秦国厉害多了。也就是说天下士人到别国去,为别国所用,偏偏不到秦国去,不为秦国所用。那么,作者李斯为什么不把'待发'两个字写出来呢?因为那代人都明白'裹足'这个习惯,因之他没有必要点出来。事隔千年,我们没有这个习惯了,所以必须提出来讲解清楚。懂得了这一层意思,底下的'今逐客以资敌国,损民以益仇'才有着落。"马先生讲课就是这样细致的,任何一个细小的地方都不放过,使听课的人很不容易忘记。

另一个例子就是讲韦庄的《秦妇吟》时,诗中有两句:"烟中大叫犹求救,梁上悬尸已作灰。"马先生问我们:"你们看这个人是怎么死的?"有同学答是烧死的,有同学答是吊死的。马先生说:"认为这个女子是吊死的同学是细心的。这两句诗,仔细读来,不但写出了失火的前后过程,而且还写出了火中这个女子的心态。凡失火时,必先起滚滚浓烟,然后火势大了,火焰才会跳跃翻卷,四处蔓延。这个女子在浓烟将起时,求生的欲望还很强,大声喊叫,希望有人救她;到火焰从四围烧上来的时候,她绝望了,知道非死不可了。她衡量了一下,与其被火活活烧死,不如吊死来得好过些,所以她采取了悬梁。等火烧过来的时候,烧成灰的只是她悬挂着的尸体了。"我们仔细品味原文,果然像马先生讲的这样。马先生就是这样循循善诱,引导着我们如何更细心地读书。马先生还告诉过我们,尤其是读诗词,要咂摸着滋味读,如果只大略看过去,会有许多味道没品出来,如身入宝山,空手而回。

马先生不只是要求同学们严格,她自己也确实以身作则,给我们批改的作业或作文,都按时发还,从没有拖过时间。尤其她批改的作文,像她讲课一样仔细,一丝不苟。错误的地方都加以改正,自不待言,先生认为写得好的地方,句旁加点,句后加圈,少者一个圈,多者三个圈。批语也不止一处有,作文本顶上有"眉批",全文最后有"尾批",都批得很着力。先生当时教三个班,每班都约有五十人,每两周作文一次。先生工作量之大,是可以想见的,而先生从来一丝不苟,高质量而守时地发还到我们手里。老师如此,我们自然也不敢马虎,两年在马先生的课堂上,我们受到了严格的训练。

马先生每次发作文时,总要占一节课的时间,来讲解全班同学作文中的不足之处,只讲问题,并不点名。从标点符号到错别字,然后是用词不当,或审题命意的不妥等等,凡所有问题,无不讲到。这样,不但使作者本人明白错在哪里,也使全班同学受益。马先生为了鼓励同学们的上进心,在发作文时,前十名总是按照顺序排的,最好的放在最前面。我很荣幸,往往是第一个被叫起来去拿作文。每当此时,在全班同学的注视下,我总是又羞涩又高兴地、面红耳赤地走到讲台前,把作文领回来,甚至不敢抬头看马先生一眼。马先生从不在课堂上读她认为写得好的作文,而是发完之后再收回去,然后贴到全校同学都看得到的成绩栏里。女附中从前院通往后院,有一条很长的过道,左面是布告栏,右面是成绩栏。我和其他班同学的好作文,常被公布在这里,以致有的同学常开玩笑说:"孙亚英是马先生的高跟儿(当时同学习惯用语,即高足之意)。"

有一次,马先生出了个《寄天涯故人》的题目,让我们作文。我选写的内容,是寄信给一位因抗拒家庭包办婚姻,被逼辍学成婚,为坚持继续求学而毅然出走的姑娘。当时正巧我们刚刚读过几篇骈体文,王勃的《滕王阁序》和李华的《吊古战场文》,那朗朗上口的铿锵韵律,还在我们少女敏感的心头跳跃,于是,几组对仗排比的句子,很自然地就出现在我笔下了。例如:"只为了不愿在华堂红烛下,俯首作家庭的俘虏,而毁弃了美丽的憧憬,于深夜时,伴着星光月色,毅然挣脱羁绊。宁为碧海青天间遨游的海鸥,不作金笼翠架上被系的鹦鹉……"马先生在这一段文字旁,默加了密圈,顶上的眉批是:"摇曳多姿,顾盼自喜。"中间我还写了叮咛故人的一些话:"千般小心,须防一时失闪;万种谨慎,着意瞬间疏忽。"结尾处我是这样写的:"飞絮飘花,倘伴东风时,丁香影下遗失了故人微蹙的眉黛,如今,金风瑟瑟、红叶萧萧时,故人的芳踪,依旧迢遥。"这里,马先生的眉批是"无限深情"。篇后的尾批也是很长的,可惜我不记得了。这篇作文不但在成绩栏里张贴了,马先生还建议我投到报上去。我胆怯地投给了《新生报》,很意外,真的刊发了。这是我平生第一次发表作品,那年我大约十六七岁。

高中二年级时,女附中全校举行过一次作文比赛,马先生推荐我参加,高中的作文题是《读书与做人》,结果我获得了全校第一名。得了校长奖的一个铜制方形大墨盒,盒右方的一行小字是:"中华民国三十五年师大女附中作文比赛第一名奖",左下方的一行小字是:"校长石砥磊"。墨盒中间有四个双钩笔法的大字,是"剑胆琴心"。

现在我已经七十七岁了,再翻看高中时的作文,连我自己都实在不喜欢那种纤丽排比、刻意雕琢而又内容空泛的文风。记得在高三时,马先生曾对我说过:"你的文章有一种灵秀气,但总的来说,花团锦簇的成分太多。希望你随着人生阅历的增加,逐渐走向社会人生派。"如今,马先生早已仙逝多年,若先生还在,不知她对我将如何评价?又将何以教我?

让我回来接着叙述马先生的教学。

马先生教课虽然严肃,但也不是总板着面孔的。有时夏季天气很热时,同学们容易犯困,马先生就常常利用讲正课之余的一点剩余时间,给我们讲一些文人小故事,同学们非常感兴趣。虽然这些不是课本上的内容,考试时也不会考,但同学们听得兴趣盎然,至今六十年左右了,仍记忆犹新。

马先生似乎很喜欢苏轼,讲的故事中,关于他的居多。例如有一次她讲,苏氏三父子加上苏小妹,以"冷""香"两个字,每人写两句诗,这些都各见性情。在这里马先生也提到,正史并没有苏小妹这个人,她是个传说中的人物,后世的章回小说和京剧中还有"苏小妹三难新郎"的故事,因此就不妨姑妄存之。这四个人的诗句分别是:老泉的为"水自石边流出冷,风从花里过来香";

东坡的为"拂石坐来衣带冷,踏花归去马蹄香";子由的"冷"字句已散佚不可知,"香"字句为"梅花弹遍指头香";以苏小妹的最为纤巧华丽,曰:"叫日杜鹃喉舌冷,宿花蝴蝶梦魂香。"女儿特点毕露。四个人的诗句颇为传神。

马先生还讲过东坡和他的僧人朋友佛印,以佛家语对对联,联曰:"三过其门老、病、死;一弹指头去、来、今。"颇富哲理,又对仗工稳。

马先生还讲过一个东坡才思非常敏捷的故事。一次,东坡到友人家里作客。才到那里,仆人就赶来请他马上回去,说家里有急事。主人也是个文人,就用三种果名、一种药名来挽留他,说:"幸早里(杏、枣、李),且从容(苁蓉为一味中药)。"东坡也脱口而出地同样以三果一药回答了主人,说:"奈这事(奈,苹果之属,蔗、柿),须当归(当归为中药名)。"东坡的才思敏捷,给我们留下了深刻印象。

马先生也有时讲些带文学性的谜语让我们猜。例如谜面"张翼德查户口"打唐诗一句,谜底为"飞入寻常百姓家"。谜面"不是霸王,是霸王的兵",打一装饰物的原料,有同学猜是项链,马先生说:"有一点道理,霸王的兵当然是项羽练的,但'不是霸王'一句就没有着落了。"原来谜底是"翡翠"二字,紧扣谜面两句。还有一次,马先生讲了个最难的谜语,全班同学谁也没猜着。谜面是"山在虚无缥缈间",打一字,有同学猜是"嵩"字,马先生说:"不对,要在'虚无缥缈'四字上下功夫。"同学们实在猜不出了,最后,马先生在黑板上写了个"四"字,我们还是不明白,马先生说:"大家看看'四'字的框框里,空白的地方是个什么字?"至此,我们才

家贫也读书(代后记) 249

恍然大悟:原来框框里的空白处恰好是个"山"字,紧扣谜面"虚无缥缈"四字。这些虽都是些雕虫小技,可也颇锻炼人的思考能力,而且文学意味很足,所以至今记得。

有一次马先生似乎兴致很高,讲完课给我们做了个文字游戏,把下面一组文字以顺时针方向写成了一个圆圈:"赏花归去马如飞酒力微醒时已暮",既是个圆圈,又没有标点,先生要我们把它读成一首七绝。我们傻了,怎么也读不出来。马先生笑了说:"每句退几个字就读出来了。"原来是这样的:"赏花归去马如飞,去马如飞酒力微,酒力微醒时已暮,醒时已暮赏花归。"马先生由此说开去,还讲到了中国所特有的回文诗,正着念也成诗,倒着念也成诗,而且都有诗意。先生说,只有中国的文字,才能这样极为精巧,又极具艺术性地运用,除中国之外,任何一国文字都做不到。我们中国人应该为祖先为我们创造了如此优秀的文字而自豪。同学们听了都非常振奋。

到高中三年级时,马先生在课内不再教我们了,换了一位徐先生给我们上课,但马先生课外仍教我。这时,马先生换了一种教法,不再逐字逐句讲解那么多了,很多都是先生列出书目,让我自己看。如明人小品、四大才子书,《儒林外史》《镜花缘》《聊斋志异》,笔记小说《剪灯新话》《石点头》等,我读了之后,不懂的地方可以问先生,定时给先生交读书心得。先生也重点给我讲了些东西,如写有《两当轩集》的黄仲则。马先生说,许多文学史中不收入他,即使有的本子收入了,也只是寥寥数语。先生说此人是个该受到重视的作家,他年轻夭折,但留下了很多精彩的诗作,写山的作品很有李白的意韵,而抒情的诗作,有的几乎可以说直追李商隐。黄仲则的"事有难言天似海,魂应尽化月如烟"的诗句,高中时已通过马先生的教诲,深印在了我的心里。此外,马先生还给我讲了纳兰性德的《饮水词》《侧帽词》,他的几首悼念亡妻的词,深深地感动了我。

马先生在课外教我,足足有四年半时间,尽心尽意,一直送我到高中毕业,从没收过我任何一点点报酬。这是多么难能可贵的师恩,是多少金钱都买不来的!我一生中,无论在专业队伍里任语文教学工作时,在科研单位任编辑时,或下放到基层,写我不熟悉的工作总结、商业单位的工作报告,甚至越俎代庖写领导的发言稿时,都没有难住我,而令领导满意地胜任下来,这不能不说是马先生给我打下的坚实基础。在很多次工作后,我都以感戴的心情思念着马先生。马先生在做人上也影响了我。往往在政治运动风口浪尖上的时候,看一个人的为人是看得最清楚的。当"文革"中我遭到泰山压顶般的政治冤枉时,曾有人向我诱供:"你揭发别人可以减轻你的罪责,现在要看你的立功表现了。"这时,我想起了马先生,她教我君子慎独,暗室不欺心。我拿定主意,没有说过任何人的一句不实之词,宁可自己背负莫须有的罪名,硬着头皮顶着。几十年我坦荡而问心无愧。这个道德基准,是马先生给我的。马先生对工作的认真负责、一丝不苟,也影响着我。我从四川那个小县城调走时,单位同志给我作鉴定,一位领导说:"什么工作交给孙亚英,放心。"回归专业队伍后任编辑,今年我退休已经十八年了,我当年的同事和给我撰稿者,至今仍认为我是个认真负责、不徇私情的编辑。很多当年曾给我投稿的学者,明知如今我无权再给他们发稿了,却仍和我保持着朋友关系。有一次我去某地开会,在报到处遇到一个人,他看我签名时竟说:"哦!你就是孙亚英呀!你退了我的稿子。"我听后吓了一跳,心想这一下可遇见冤家对头了。岂知他后来的话却让我大出意外。他说:"你的退稿信竟写了四大张。对我以后的改稿、写作帮助很大。我还从没有遇见像你这样的编辑。"原来他还是当地一位宣传部门的领导干部。这种对待工作、与人相处以真心换真心的精神,是马先生铸就在我身上的。马先生奠定了我一生的人生道路、事业道路,马先生的师恩,我终此一生都报答不完。

"谁言寸草心,报得三春晖"是说子女对母亲的,马先生虽不是我的母亲,但这两句诗用来形容我对马先生,应该说一点也不过分。

真个是师恩如海!

六、尾声

师大女附中毕业后,我被免考保送入北师大国文系。那时的北京师范大学是全部公费,学费、杂费、食宿费一概不交,只要能考进去,用我们当时同学的话说,就是白吃白住白念书。平心而论,当时的政府对教育事业,育人的百年大计,培养师资,还是十分重视的。我就是凭着这一点,沾了当时制度的光,才得以读完大学。

大学毕业时是1951年,已是新中国成立之后。组织分配我到中央党校(当时叫马列学院)语文教研室工作。

上述这些就是我怎样读完中学和大学的实际情况。